D1500854

LES ARABES
DANSENT AUSSI

SAYED KASHUA

LES ARABES DANSENT AUSSI

Traduit de l'hébreu
par Katherine Werchowski

belfond
12, avenue d'Italie
75013 Paris

Titre original :
ARAVIM ROKDEEM
publié par Modan Publishers, Ben Shemen.

Cet ouvrage a été traduit avec le concours
du Centre national du livre.

Si vous souhaitez recevoir notre catalogue
et être tenu au courant de nos publications,
envoyez vos nom et adresse, en citant ce livre,
aux Éditions Belfond,
12, avenue d'Italie, 75013 Paris.
Et, pour le Canada,
à Vivendi Universal Publishing Services,
1050, bd René-Lévesque-Est,
Bureau 100,
Montréal, Québec, H2L 2L6.

ISBN 2-7144-3951-9
© Modan Publishing House Ltd, Meshek 33,
    Moshav Ben Shemen 73115
© Belfond 2003 pour la traduction française.

Préface

Les Arabes dansent aussi sont un choc. Sans
doute n'a-t-on encore jamais parlé ainsi du
conflit israélo-palestinien. Et sans doute aussi
a-t-on rarement évoqué avec cette doulou-
reuse acuité, avec cette voix venant de l'intérieur, le déchirement culturel, le fait d'évoluer
entre deux mondes sans trouver sa place ni
dans l'un ni dans l'autre.

Sayed Kashua est arabe. Il est aussi israélien. Ces deux notions a priori antinomiques
sont pourtant le quotidien souvent absurde
de plus d'un million de gens victimes comme
lui d'une ironie de l'Histoire, coincés après la
guerre d'indépendance de 1948 sur des territoires qui, non prévus à l'origine pour tomber
dans le giron de l'Israël découpé par l'ONU,
y ont été intégrés quelques mois après par le
sort des armes. D'un coup, eux, Palestiniens
sous mandat britannique, se sont retrouvés

« Arabes israéliens ». Pas plus qu'eux, Kashua n'a choisi ce destin écartelé. Mais, comme eux, il est bien obligé de l'assumer.

On les ignore. On les ignore dans leur pays, où ils n'ont qu'un statut de citoyens de deuxième zone, l'interdiction qui leur est faite d'effectuer leur service militaire entraînant toute une suite de brimades dont la plus choquante est la faiblesse alarmante des aides économiques accordées par l'État hébreu aux régions qu'ils peuplent (essentiellement la Galilée). On les ignore à l'extérieur, où leur situation de « traîtres » à des combattants qui sont souvent de leur famille ainsi que leurs arrangements avec une démocratie israélienne dont ils savent qu'elle leur assure un confort et une liberté d'expression absents des territoires palestiniens dérangent et interdisent envers eux les élans de sympathie que suscitent parfois même les plus meurtriers des rebelles palestiniens.

Si le malaise israélien a eu de nombreuses et talentueuses voix (faut-il rappeler les noms d'Amos Oz, de David Grossman, de Chochana Boukhobza, de Chaim Potok ou ceux, entre autres, des cinéastes Amos Gitai ou Assi Dayan), si le combat palestinien a enflammé bien des cœurs, ce mal-être-là a eu très peu d'échos. Seul l'écrivain David Grossman a consacré aux Arabes israéliens un ouvrage passionnant (*Les Exilés de la Terre promise*, parus aux éditions du Seuil en 1995), passé cependant totalement inaperçu.

Ce quotidien méconnu, Sayed Kashua le raconte enfin. À sa manière. Et en hébreu, détail qui a son importance. Journaliste très connu en Israël, né à Tira, en Galilée, ancien étudiant de l'Université hébraïque, il vit dans un village arabe tout près de Jérusalem. Il a vingt-six ans. Seulement, a-t-on envie d'écrire, tant la maturité de son analyse étonne. Dans cet ovni littéraire que sont *Les Arabes dansent aussi*, baptisés « roman » mais qui ressemblent tant à un récit, il donne soudain une voix aux Arabes israéliens. Et quelle voix !

Le narrateur, dans lequel il n'est pas interdit de voir le double de l'auteur, est l'enfant d'un couple d'Arabes né à la césure du siècle dernier sur un territoire soudain devenu étranger. Il raconte ses grands-parents, son grand-père violent et coureur, sa grand-mère femme au foyer nourrissant de vains espoirs, son père emprisonné (à tort, dit-il) pour avoir fait sauter une cafétéria, ses années d'école en terre arabe et la violence de ses professeurs, sa découverte des Juifs, son internat en école juive, ses études brillantes pour devenir, selon les vœux de son père, « le premier Arabe à fabriquer la bombe atomique », ses amours « mixtes » condamnées d'avance, ses désillusions et ses renoncements...

Démarré à la façon d'un agréable récit d'enfance, de ceux que nous donnèrent Elias Chacour (*Frères de sang*) ou le grand poète Mahmoud Darwich, le récit de Kashua, sorte d'« Allumettes palestiniennes », dérape vite vers autre chose, comme le faisait dans un registre plus doux le récent film d'Elia Suleiman, *Intervention divine*. Kashua ne nomme jamais son mal, le donnant à voir sans se plaindre ni larmoyer. Faut-il l'appeler « désespoir » ? Faut-il l'appeler « honte » ? Faut-il l'appeler « égarement » ? L'auteur se refuse à endosser le moindre uniforme, à adopter la moindre ligne de défense politique. *Les Arabes dansent aussi* sont tout sauf une œuvre militante. Le livre parle d'une identité en miettes, d'un homme qui oscille entre son éducation arabe et son école juive, sa femme arabe et sa petite amie juive, son village natal et Jérusalem...

Position unique et irremplaçable. La vie des Arabes israéliens n'est que paradoxes, contradictions : faut-il s'étonner que les enfants jouent à la guerre contre les Israéliens, mais qu'ils soient incapables de donner une définition de la Palestine ? Faut-il s'étonner qu'un ancien « terroriste » en vienne à prier pour la destruction de la mosquée al-Aqsa ? Sartre écrivait dans *Réflexions sur la question juive* que seul le regard de l'autre faisait le Juif. Seul le regard des Juifs fera de Kashua un Arabe.

Se tournant vers son passé, il a le plus difficile des courages : celui de la lucidité. Il renvoie dos à dos non seulement les excès de la peur israélienne et ceux du retour arabe à la religion, mais aussi deux conceptions antagonistes de la condition féminine. Son statut d'« entre-deux », cette quête de lui-même qui l'a fait un temps essayer de passer pour un Juif, autorise toutes ses audaces. Personne n'est épargné, et surtout pas lui, héros lâche, égaré, inconséquent, puéril, et qui serait pitoyable s'il ne portait aussi sur ses travers la force implacable de son regard.

De cette place d'Arabe modelé par l'œil des autres, il peut se permettre des phrases inouïes : qui d'autre, sauf à allumer volontairement une poudrière, aurait pu écrire ce passage où deux Arabes servant dans un bar regardent d'autres Arabes dansant le disco et énumèrent leurs ridicules en faisant semblant de ne pas se rendre compte qu'ils vivent tous en porte-à-faux ? « Ne comprennent-ils pas qu'ils sont différents, que ça ne leur convient pas ni à quel point ils sont laids ? Surtout le petit à moustache qui se lance de loin les pistaches dans la joue sans arrêter de tortiller du cul. »

Les pages de la fin sont terribles, ces pages où, asphyxié, l'auteur se retourne contre les siens et s'étend sur sa honte d'être pris pour un Arabe. « Qu'on ne hurle pas le nom de ma femme lorsque viendra son tour, ni qu'on ne l'appelle par haut-parleur... », écrit-il alors qu'il accompagne son épouse à l'hôpital. « ... parce que l'annonce de mon nom pourrait prêter à confusion quant à mon identité, ma religion et ma nationalité. » Dans ce déni de soi-même se trouve sans doute la plus dure accusation du sort fait à ses frères. Il fallait pour le reconnaître avoir beaucoup souffert.

Et pourtant, on rit aussi en lisant ce livre au ton amer, mordant, cruel, souvent bouleversant, jamais quémandeur ou appelant l'attendrissement. Avec Kashua, l'humour juif devient la politesse du désespoir arabe.

Hubert Prolongeau*

* Journaliste et grand reporter, Hubert Prolongeau est l'auteur de nombreux documents. En 1998, il a notamment publié *Le Curé de Nazareth : Émile Shoufani, Arabe israélien, homme de parole en Galilée*, suivi, en 2002, d'une série d'entretiens : *Comme un veilleur attend la paix* (Albin Michel).

AVERTISSEMENT AU LECTEUR

La plupart des termes étrangers nécessaires à la bonne compréhension de l'ouvrage font l'objet d'un glossaire situé en fin d'ouvrage.

LIBAN

SYRIE

Karmiel Nahaf

Golan

Haifa *Lac de Tibériade*

Turan

Damon • *Galilée*

Qishon Shata •

Yarmouk

Mer
Méditerranée

• Yabad

Tulkarem
Tira • *Samarie*

• Kfar Saba

Tel-Aviv *Cisjordanie*

Jourdain

• Amman

• Ramallah

Jérusalem ■

ISRAËL Beit Safafa

Judée Mer
Morte

Bande
de Gaza • Gaza

• Beersheva

JORDANIE

*Désert
du
Néguev*

ÉGYPTE

0   50 km

Cartographie AFDEC

Première partie

Les affaires mortuaires
de Grand-mère

1. Les clefs de l'armoire

Une question me taraudait : où les clefs de l'armoire pouvaient-elles bien être ? Je les cherchais chaque fois que Grand-mère sortait pour aller visiter une vieille qui venait de mourir. L'antique armoire en bois foncé me semblait un coffre-fort recelant je ne savais quel trésor, diamants ou autres couronnes royales. Un matin, après une de ces nuits où, terrorisé et incapable de m'endormir, je m'étais faufilé dans le lit de Grand-mère, je l'avais vue sortir la clef d'une poche secrète cousue dans l'un des oreillers. Elle me l'avait tendue tout en me demandant d'aller lui chercher son tapis de prière. J'avais bondi hors du lit. Qu'est-ce qui lui arrivait ? Pourquoi elle m'autorisait à ouvrir l'armoire ? J'avais saisi la clef et au moment où je la glissais dans le trou de la serrure, elle avait ajouté : « Fais attention en tournant, tout est rouillé. »

D'un côté des robes blanches étaient suspendues sur des cintres ; de l'autre, sur des étagères, étaient empilés des serviettes, des sarouals pliés avec soin et des paires de bas. Mais pas une culotte. Grand-mère ne porte que des sarouals. Et sur l'étagère du bas, le tapis de prière qu'elle avait fait, elle-même, avec une peau de mouton. Pour l'*Id Al Fitr* elle avait acheté un mouton, puis elle avait enlevé la peau qu'elle avait salée et mise à sécher au soleil. Sur l'étagère du haut était posée une grande valise bleue, celle qu'elle avait emportée pour le Hadj quelques années auparavant. Son contenu devait être bien intéressant, m'étais-je dit. Peut-être des panoplies de policier comme celles qu'elle nous avait rapportées de La Mecque.

J'avais pris le tapis sur l'étagère et je l'avais déroulé à l'endroit où Grand-mère avait l'habitude de prier. Elle priait assise, car il lui était déjà difficile de rester debout très longtemps.

Grand-mère vit chez nous. En réalité, c'est plutôt nous qui habitons chez elle. Elle dispose de sa propre chambre avec des toilettes continguës et un lavabo pour ses ablutions ; elle n'a donc pas besoin de traverser le salon ou la cuisine. Si quelqu'un vient lui rendre visite, elle peut le recevoir dans cette pièce. Jamais elle ne pénétrerait sur le territoire de Maman. Si mes parents n'ont pas envie de lui parler, aucun problème. Il ne lui viendrait d'ailleurs jamais à l'idée d'engager la conversation. C'était sa maison, avant que Papa, son fils unique, en prenne possession et y ajoute quelques pièces ; puis il s'était marié et des enfants étaient nés.

De ses quatre petits-enfants mâles, j'étais le seul à avoir l'habitude de venir me glisser dans son lit. Je ne dormais presque jamais avec mes frères. Dès que mes parents étaient endormis, sans un bruit, je me rendais dans sa chambre. Elle comprenait que j'avais peur des voleurs, du noir ou des monstres et qu'à côté d'elle j'étais rassuré. Jamais elle ne m'aurait dit : « Non, il ne faut plus dormir avec moi », même si le lit, vieux de plus de trente ans, était à une place. Chaque matin je me réveillais au lever du soleil, à l'heure où Grand-mère faisait sa prière. Jamais je n'avais vu la clef. Et jamais non plus elle ne m'avait demandé d'aller lui chercher quelque chose dans l'armoire.

Ce jour-là, après avoir fini de prier, elle s'était tournée vers moi : « Tu vois où j'ai caché la clef ? Tu es le seul à le savoir, et tu dois me promettre de garder le secret jusqu'au jour de ma mort. Quand ce moment sera venu, tu ouvriras l'armoire et tu diras à tes tantes qui n'auront pas manqué d'accourir que les affaires sont dans la valise bleue. Tu as bien compris ? Elles ne devront utiliser que ces affaires et rien d'autre. Donne-moi ta parole ? » Je la lui donnai.

« Et puis arrête d'avoir peur ! Un enfant aussi intelligent que toi ! Que crains-tu donc ?

Maintenant, file dans ta chambre avant que tes parents se réveillent. »

Depuis ce jour, je suis le dépositaire de la mort de Grand-mère. Elle devait savoir beaucoup de choses que j'ignorais, autrement pourquoi aurait-elle préparé ses affaires mortuaires ? Qu'est-ce que cela pouvait bien être ?

À partir de ce matin-là, à chaque récréation je me précipitais à la maison. Je n'avais que cinq minutes pour faire l'aller et retour ; nous habitions vraiment tout près de l'école. De la maison j'entendais la cloche qui sonnait la fin de la récréation et j'avais le temps de retourner en classe avant que le maître revienne de la salle des professeurs. Je n'arrivais jamais en retard. J'étais le meilleur élève de la classe et de toutes les huitièmes. Chaque fois que je courais à la maison j'imaginais Grand-mère couchée sur son lit étroit entourée de ses quatre filles pleurant et psalmodiant les mêmes chants que lorsque Oncle Bashir, le mari de Tante Faten, ou Oncle Shaker, celui de Tante Ibtisam, étaient morts. Pour rien au monde je n'aurais voulu rater la mort de Grand-mère et je priais pour avoir le temps d'arriver avant son enterrement. Je devais me dépêcher pour leur parler de la valise bleue et des affaires. Personne, pas même Papa, son seul fils, ne savait où était la clef.

Et chaque nuit je continuais de me faufiler dans le lit de Grand-mère. Ce n'étais plus le noir, les voleurs ou les chiens qui m'effrayaient, mais la mort de celle qui était à côté de moi. Le sentiment de sécurité que me procurait son grand corps s'amenuisa peu à peu. Jusqu'au jour où je n'allai plus la rejoindre que pour la protéger. Que de fois me suis-je réveillé et, retenant ma respiration, ai-je approché ma main de sa bouche ! Tant que je pouvais sentir son souffle chaud sur ma paume, je savais que le moment du rendez-vous avec la mort n'était pas encore venu.

Par la suite, Grand-mère ne m'a plus parlé de ses affaires mortuaires ni de la valise, comme si elle avait tout oublié, comme si cela – sa mort – ne la préoccupait plus. Un beau jour, en septième, entre les vacances d'hiver et celles de printemps, je m'étais, comme d'habitude, précipité dès la récréation à la maison, et Grand-mère était absente. Elle quittait rarement sa chambre, mais lorsque ça arrivait, c'était toujours pour un long moment.

Sans réfléchir davantage je m'étais approché de l'oreiller et, en prenant soin de ne pas le déplacer, j'avais glissé la main dans la poche secrète pour tirer la clef. Me souvenant du conseil de Grand-mère, je l'avais tournée avec précaution. Il n'aurait plus manqué qu'elle se brise !

Dans l'armoire se trouvaient exactement les mêmes choses, chacune à sa place ; comme si rien n'avait changé. Le tapis, les robes blanches, les sarouals, des bas... et aucune culotte. Ne parvenant pas à atteindre l'étagère supérieure, j'avais retiré mes chaussures, mis un pied sur l'étagère au tapis, puis l'autre sur celle aux sarouals, et d'une main j'avais réussi à ouvrir les serrures métalliques de la valise bleue.

Mais je ne pouvais pas voir ce qu'elle contenait. Ma main avait touché des serviettes. Des serviettes ? C'était donc ça, les affaires mortuaires ! Des serviettes ? Nous en avions beaucoup à la maison ! Pourquoi fallait-il des serviettes spéciales pour la mort ?

J'avais couru à la cuisine chercher une chaise pour y grimper. C'est alors que la cloche avait retenti. Le cours allait commencer. Mais pas question de renoncer ! Que l'on me note absent. Je dirais que j'avais eu mal au ventre. Et on me croirait car je suis un bon élève. J'avais décidé d'oublier la cloche et toute mon attention allait à la valise que je pouvais maintenant facilement atteindre. J'avais rassemblé toutes mes forces pour la soulever, mais elle était beaucoup plus légère que je me l'étais imaginé. Et Dieu sait pourquoi, je m'imaginais que ces affaires ne pouvaient qu'être lourdes. J'avais posé la valise sur le petit lit, déterminé à en examiner le contenu. Les serviettes du dessus étaient parfaitement pliées. Je les avais sorties une à une en m'efforçant de retenir leur disposition afin de les replacer au même endroit. J'en avais compté cinq. Elles étaient posées sur un grand tissu blanc avec inscrit dessus *La Mecque*. Grand-mère devait vouloir qu'il serve à recouvrir son corps. Sous le tissu se trouvaient des dizaines de savons, tous en provenance du lieu saint, un parfum, une crème pour les mains, une pince dans son étui, des ciseaux, ainsi qu'une brosse toute neuve. Jamais je n'aurais pensé que les affaires mortuaires soient des effets de toilette. J'étais très déçu. Et pour ça j'avais raté un cours de sciences naturelles ! Pour des serviettes et du savon !

Une fois la valise vidée, je m'aperçus que le fond était tapissé de journaux. Sûrement pour protéger de l'humidité. Au moment de remettre les objets de toilette en place, mon regard avait été attiré par une photo sur un journal jauni. Je n'étais pas encore capable de lire l'hébreu, mais la petite photo d'identité aux couleurs passées m'avait frappé. Elle représentait un jeune homme qui me regardait.

Mes mains s'étaient glacées. C'était Papa. Même s'il était très jeune – je n'avais jamais vu de photographie de lui à cet âge –, j'étais certain qu'il s'agissait de lui.

Sous le journal, j'en avais découvert d'autres, tous rédigés en hébreu, avec la même vieille photo d'identité. Et nous qui, en classe, en étions encore au b.a.-ba ! Il fallait absolument que j'apprenne l'hébreu afin de lire les articles ! avais-je décidé.

J'avais continué de fouiller et j'étais tombé sur des dizaines de cartes postales cachées sous les journaux. Par bonheur elles étaient écrites en arabe. J'avais immédiatement reconnu l'écriture de mon père. Quand j'étais enfant, je m'efforçais d'imiter son écriture fine et ronde, belle comme un dessin. Papa était le meilleur élève de Tira[1] et je voulais lui ressembler. J'avais pris une carte :

Salut Bashir, comment se porte ma sœur Faten ? J'espère que chez vous tout se passe bien. Moi je vais très bien, Dieu soit loué. Dis à Maman de ne plus pleurer. Je serai bientôt libéré. Embrasse Sharifa, Faten, Ibtisam, Shourouk et les enfants.

P.-S. : Demande à Maman de m'apporter un cahier, deux crayons, une paire de chaussettes et deux caleçons quand elle viendra. Bien à vous, ton frère Darwish.

La carte, en noir et blanc, représentait une soldate en train de manger un *falafel*. En la retournant, je vis des cachets rouges et ronds, avec des lettres hébraïques. La cloche avait sonné la fin de la récréation. J'avais rangé à la hâte les cartes postales et les journaux, remis toutes les affaires dans la valise que j'avais reposée sur l'étagère du haut. Après avoir refermé l'armoire, j'avais glissé la clef dans la poche de l'oreiller. En moins de deux minutes j'avais rapporté la chaise dans la cuisine, remis mes chaussures et fermé la maison. Puis j'avais filé à l'école.

---

1. Autrefois village, Tira est aujourd'hui une petite ville arabe israélienne de 22 500 habitants à 30 km au nord-est de Tel-Aviv.

En chemin, j'avais vu au loin un enterrement et Grand-mère. Abou Jiad, notre voisin, le grand-père d'Ibrahim qui était dans ma classe, venait de mourir. Grand-mère lui vouait une haine mortelle. Et moi, c'était Ibrahim que je haïssais.

2. Le plus beau et le plus intelligent

Ce jour-là Papa n'avait pas décollé de son lit. Il était resté couché avec la radio allumée.

« Je ne sais pas ce qu'il pouvait écouter, se souvient Grand-mère, mais tout à coup il a hurlé : "Génial !" en sautant en l'air. Quelle énergie ! On aurait dit qu'il avait volé. J'étais tellement étonnée que je me suis exclamée : "Qu'est-ce qui t'arrive, mon Dieu ?" »

Papa n'avait pas répondu. Grand-mère dit que son visage affichait un sourire qu'elle ne lui connaissait pas. Il avait pris son sac et l'avait embrassée en lui annonçant qu'il retournait à Jérusalem.

Quelques heures plus tard, les autorités avaient débarqué à la maison. Des soldats et des policiers. Une centaine peut-être. Grand-mère était seule. Mes quatre tantes étaient déjà mariées. « Ils passaient des machines bizarres qui sifflaient dans tous les coins de la maison, du sol au plafond. Ils renversaient les armoires et les lits. Je leur disais : "Dites-moi au moins ce que vous cherchez, je peux peut-être vous aider", mais ils ne répondaient pas. Ils ont fouillé dans ses papiers, épluché minutieusement ses livres et en ont confisqué certains. Puis ils se sont mis à ratisser le jardin en retournant le moindre centimètre carré de terre. » Ils cherchaient des armes, pour sûr. Elle ne le comprit qu'après leur départ. « Je sentais qu'il lui était arrivé quelque chose et je les implorais de me dire ce qu'il était advenu de mon fils ; ce qui s'était passé. Mais je n'ai pas obtenu de réponse. »

Grand-mère dit toujours que Papa ne lui a jamais laissé un seul jour de répit. Jamais. Elle l'aime passionnément. Plus qu'elle-même, dit-elle. Elle aurait tant voulu qu'il aille étudier à l'université. Elle a tout fait pour qu'il obtienne une bourse pour son loyer et son argent de poche. Elle lui donnait tout ce qu'elle gagnait. Il ne manquait de rien. Elle travaillait comme deux, et personne n'aurait pu le croire orphelin. C'était l'élève le plus soigné de la classe ; le plus élégant de l'école, toujours tiré à quatre épingles.

Grand-mère raconte qu'il partait le matin vêtu comme un prince et que tout le monde le jalousait. Beaucoup d'enfants le frappaient mais elle n'hésitait pas à aller chez eux pour leur faire la leçon, à eux et à leurs parents. Celui qui voulait s'en prendre à Papa devait savoir qu'il aurait affaire à elle. Il était le meilleur élève de l'école. Il travaillait beaucoup, restant la nuit tombée des heures à étudier à la bougie ; lorsque notre voisine se mettait à chanter, il allumait le réchaud à gaz pour que le bruit étouffe sa voix. Il aimait marcher à travers champs, des livres à la main. Il obtenait toujours les meilleures notes.

Le jour de la distribution des prix, Oncle Bashir – Dieu ait son âme ! – venait l'attendre à la sortie de l'école et, après la cérémonie, il juchait Papa sur ses épaules, le faisait sauter en l'air et dansait avec lui jusqu'à la maison. Oncle Bashir était un véritable héros. Robuste comme un chameau, et si grand qu'il avait du mal à franchir une porte.

Personne n'aurait pu croire que Papa n'avait ni frères ni père pour veiller sur lui. Même lorsqu'il ne lui restait presque plus d'argent pour manger, Grand-mère allait lui acheter le livre dont il avait envie. Elle lui avait aussi offert un superbe vélo. Elle raconte souvent comment, craignant d'être prise pour une pauvre, elle glissait du plastique sous les couvertures afin que les voisines qui venaient la voir aient la sensation de froisser des billets en s'asseyant. Personne ne comprenait d'où une veuve employée à la cueillette pouvait tirer cet argent ; elle disait toujours que c'était un cadeau de Dieu.

Et voilà que tout s'écroulait. Son fils, tout ce qu'elle avait investi, l'université... et elle ne savait même pas où il se trouvait. On lui assura qu'il était entre les mains de l'armée. Elle fut incapable de dormir tant qu'elle ne put le voir, Oncle Bashir et Oncle Shaker, le mari de Tante Ibtisam, avaient avec elle frappé aux portes de toutes les prisons d'Israël. Ils devaient circuler en autobus, car ils ne possédaient pas de voiture. Une fois on leur disait d'aller à Maskoubia, une autre à Ramallah, quand ce n'était pas à Shata, Damon ou Beersheva.

Deux semaines plus tard, elle avait réussi à le voir. Il était en prison. Elle n'oubliera jamais ses pleurs, ses cris ni à quel point il lui avait paru maigre et affamé. Les mêmes phrases reviennent toujours lorsqu'elle raconte, en agitant à deux mains son foulard blanc de bas en haut comme si elle se jetait du sable sur la tête, telle une femme en deuil. « Ils t'ont tué, mon Dieu ils t'ont frappé ? Mon Dieu, qu'est-ce qu'ils t'ont fait ? Mon pauvre chéri ! »

Grand-mère dit que ce n'était que le début. Faute d'argent pour payer ses déplacements, elle avait dû emprunter pour aller lui rendre visite chaque semaine. Chaque vendredi. Elle n'en manquait aucun et à chaque prolongation de peine elle faisait le trajet. Grand-mère ne comprenait rien à la situation, elle voulait seulement voir de ses yeux qu'il se portait bien ; le voir encore. Elle ne se serait pas pardonné de manquer – ne fût-ce qu'une seule fois – une occasion de le retrouver. Jamais elle n'arrivait les mains vides, lui apportant toujours quelque chose à manger ou un vêtement. Pas question qu'il puisse penser qu'elle manquait de quoi que ce soit.

Mais ses jambes commençaient à faiblir. Ses articulations en mauvais état la contraignirent à s'aider d'une canne. La détention de mon père fut prolongée par deux fois, sans le moindre commencement de preuve. Ces prolongations sur ordre du Shabak[1] étaient classées « secret ». Seul argument avancé : « Individu dangereux ». Il s'agissait d'une détention administrative. On le déplaçait de prison en prison sans jamais prendre la peine d'en informer Grand-mère qui était obligée de mener sa propre enquête pour savoir qu'il avait été transféré de la prison de Shata à celle de Damon.

Elle comprit très vite comment tout fonctionnait. Elle entra en relation avec des membres arabes de la Knesset, des gens considérés comme des « Druzes respectables » ou des « Arabes respectables ». Elle contactait tous les journaux. Chaque semaine elle leur envoyait des lettres écrites par des voisins. *Rendez-moi mon fils,* leur dictait-elle. *Je n'ai personne au monde en dehors de lui. Vous m'avez tuée.* De temps en temps, une de ses lettres était publiée. Elle les a toutes conservées dans la valise bleue. Grand-mère se rendait dans les villages de Galilée pour solliciter l'aide des maires, des *moukhtars*[2] ou des religieux druzes. Elle allait chez les uns et chez les autres, elle les forçait à écrire aux juges, à la police et au gouvernement. « Il a quand même fait des études, leur expliquait-elle. C'est de la jalousie. Il a été dénoncé par des bâtards, des fils du péché, car il était le plus beau et le plus intelligent. »

---

1. « Service général (israélien) de sécurité de l'État », chargé du contre-espionnage, du contre-terrorisme et de la sécurité intérieurs.
2. Chef du village arabe, respecté pour son autorité et sa sagesse.

Papa n'avait que faire de tout cela ; il était persuadé qu'Abdel Nasser viendrait le libérer. Il était serein et les coups pendant les interrogatoires ne l'effrayaient pas. Aujourd'hui encore, en regardant la télévision, il lui arrive de reconnaître un de ses bourreaux, des gens connus. « Celui-là m'a flanqué une baffe », dit-il en portant sa main à sa joue.

Papa fit tout son possible pour sortir de prison. Une fois il pleura des heures durant en se plaignant auprès des gardiens d'avoir mal aux dents pour qu'on le conduise à l'hôpital. Papa dit que ce fils de pute de médecin savait qu'il n'avait rien ; ça ne l'avait pas empêché de lui arracher une dent, sans anesthésie. « Mais ça valait quand même le voyage », répète-t-il chaque fois.

Dans un album se trouve une photo de Papa assis, sur une terrasse, en compagnie d'un camarade. Ils portent de lourds manteaux, les mains enfoncées dans les poches. On voit qu'ils ont froid et qu'ils cherchent à se réchauffer. Papa dit qu'ils étaient en train de compter les hélicoptères qui transportaient des soldats blessés de Jordanie vers l'hôpital Hadassah de Jérusalem, le jour de la bataille de Karameh. Lui et son ami Khalil, natif de Turan, avaient fait de la prison pour la même affaire, mais Papa ne s'étend jamais sur le sujet. D'après les journaux, ils avaient fait sauter la cafétéria de l'université mais mon père dit que la presse ment tout le temps. La preuve : le jour de sa sortie de prison, il avait acheté *Ha'aretz* et un article relatait des propos de Moshe Dayan selon lesquels l'étudiant arrêté représentait un réel danger pour la sécurité de l'État et qu'il n'était pas question de le libérer prochainement. Papa, pourtant, l'avait été assez vite. Mais Khalil avait dû attendre dix-sept ans. L'affaire de l'échange de prisonniers avec Ahmed Jibril l'avait sauvé de la prison à perpétuité.

Quelques jours après la libération de son ami, Papa nous avait installés tous les quatre sur le siège arrière de la voiture ; on avait roulé longtemps, jusqu'au village de Turan. Papa avait demandé à des passants où se trouvait la maison de Jibul. Kahanah ayant promis qu'il remettrait les prisonniers libérés en prison, les gens avaient peur de parler et la plupart disaient l'ignorer. Les habitants de Turan avaient un curieux accent qui nous faisait rire. Papa et Khalil s'étaient longuement étreints et embrassés. Je n'avais jamais vu de telles effusions. Khalil ne nous attendait pas et sa mère était très étonnée de nous voir chez elle. Ils nous avaient très vite considérés de leur famille ; Papa et lui étaient comme deux frères ; ils nous avaient invités à loger chez eux. Khalil parlait lui aussi avec ce drôle d'accent de Turan. Nous avions du mal à le comprendre.

Pendant ce séjour, Papa nous raconta qu'avec Khalil et un autre étudiant de Jaljulia, un jour qu'ils étaient allés à Romena, ils avaient loué une maison à la mère de Gandhi[1], quand ce dernier était général du secteur centre. Elle les avait accueillis en leur disant : « Je suis la mère de Gandhi, vous le connaissez sûrement ? », et l'étudiant avait répondu : « Mais bien sûr, il est indien ! » Papa et Khalil avaient éclaté de rire. Gandhi étant marié, Papa avait dormi dans sa chambre. Elle contenait une impressionnante bibliothèque remplie, entre autres, de nombreux livres de guerre, et mon père dit qu'il n'avait pu s'empêcher de voler quelques ouvrages de Jabotinsky. Sa mère, très généreuse, avait seulement demandé que les voisins n'apprennent pas qu'ils étaient arabes. Elle était déjà très vieille et passait ses journées à découper bénévolement des bandes de gaze pour l'hôpital de Shaarei-Tsedek ; elle mourut peu après.

Après la guerre des Six-Jours, ils avaient dû quitter la maison, et lorsque l'armée avait rouvert la vieille ville, Papa et Khalil avaient été parmi les premiers à se rendre au Dôme du Rocher. Persuadés d'y trouver un rocher saint planant au-dessus de la mosquée, ils avaient été extrêmement déçus. Peu de temps après, Papa était devenu communiste et quand il revenait au village, chaque fin de semaine, il distribuait le journal du parti.

Papa croyait en Trotski, en Lénine, dans les Russes, en Youri Gagarine et Valentina[2].

---

1. Surnom de Rehavam Zéévi.
2. Valentina Terechkova, première femme cosmonaute.

Bien qu'il n'y eût alors qu'une seule radio dans le village autour de laquelle tout le monde venait s'agglutiner, il connaissait par cœur les discours de Nasser. « Au nom de la Nation, au nom du peuple » reste aujourd'hui encore une de ses expressions favorites. Ma mère aussi adore Nasser. Lorsqu'il est mort, elle était au lycée et elle aime raconter comment de fausses funérailles avaient été organisées en son honneur au village. Grand-mère affirme que les Juifs ont empoisonné une de ses cigarettes ; qu'il n'est pas mort comme on le prétend, qu'il s'agissait en réalité d'un complot.

Papa dit qu'on ne peut comparer Nasser et Sadate. Nous revenions de Tulkarem le jour de l'assassinat de Sadate. Lorsque la radio avait annoncé la nouvelle Papa avait éclaté de rire. « Ce n'est qu'un début ! » avait-il lancé. Il n'avait jamais accepté que l'Égypte ait cessé de se battre en 1973. Mon frère aîné avait d'ailleurs été prénommé Sam, du nom des missiles russes. Selon Papa, Golda[1] était sur le point de capituler. Et tout ça à cause de ce fils de pute de roi Hussein ! « Dommage que Nasser ne l'ait pas liquidé », dit Papa qui ne se lasse jamais de raconter avec l'accent égyptien comment Nasser avait un jour comparé Hussein à un chien à qui on tire la queue à Londres pour le faire aboyer à Amman.

Mon père ne parvenait pas à comprendre que mes frères et moi ne sachions même pas

---

1. Golda Meir.

dessiner un drapeau. Des enfants plus petits que nous, disait-il, n'hésitaient pas à arpenter les rues en chantant : « Vive l'OLP – À bas Israël ! », et il nous engueulait sans cesse car nous ne savions même pas ce qu'était l'OLP.

3. Les coquelicots

Mes parents se sont toujours levés très tôt le matin pour aller travailler. Ma mère la première. Toujours debout avant mes frères, j'étais chargé des courses à l'épicerie – une miche de pain et cent grammes de fromage. Je n'avais pas loin à aller car l'échoppe était juste en face de la maison ; je m'y rendais le plus tôt possible pour éviter les *Azazvé*, les habitants de Gaza qui s'y approvisionnaient chaque matin. Je devais presque toujours faire la queue. Mais parfois, en sortant de l'épicerie, je les voyais descendre de leurs cars. Ils se garaient vraiment tout près de la maison, sans couper leurs moteurs, et se ruaient par dizaines vers la petite boutique. Une interminable queue s'allongeait alors au-dehors. Comme tout le monde je les détestais et je craignais qu'ils ne m'enlèvent. Ils me faisaient pourtant l'effet de gens normaux, eux qui n'avaient sûrement jamais torturé personne. Mais Grand-mère me terrorisait, avec ses histoires d'enfants pas sages vendus aux *Azazvé* par leurs parents. Je m'imaginais dans un de leurs cars rouges ou en train de faire la queue en leur compagnie devant l'épicerie.

34

On ne pouvait les croiser que le matin à l'aube, quand il fait encore sombre, car il leur était interdit de circuler hors de Gaza pendant la journée. Après avoir fait leurs provisions, ils disparaissaient comme s'ils n'avaient jamais existé.

Quand je revenais des courses, Papa était invariablement aux toilettes en train de fumer sa cigarette du matin qu'il éteignait dans le verre de café qu'il avait emporté avec lui. Après lui, je récupérais le verre et le mégot. Les toilettes, après un café noir et une cigarette, ont une odeur particulière. Celle de mon père tout simplement. Une odeur familière et matinale. Pas désagréable. Je l'aimais. Je voyais rarement Papa le matin ; aussitôt après son passage aux toilettes, il prenait sa gamelle avec les sandwiches que Maman lui avait préparés et il partait pour le travail.

Je savais que mon père était employé dans un endroit qu'il nommait tantôt l'« entrepôt » tantôt Kalmania. J'ignorais ce que cela signifiait et j'en avais conclu qu'il travaillait à la cueillette.

Jamel, notre professeur d'hébreu à l'école primaire, nous parlait sans arrêt des employés à la cueillette. Il nous en parlait davantage qu'il ne nous enseignait l'hébreu et il hurlait que nous finirions tous comme eux. « Comme des bêtes de somme ! avait-il coutume de dire. Il vous faudra partir à six heures du matin pour ne rentrer qu'à la nuit tombée. » Moi, le professeur Jamel m'aimait bien. J'étais le meilleur élève de la classe et je faisais tout pour ne pas

en arriver là. Pourtant je n'y croyais pas trop. Grand-mère avait travaillé à la cueillette, Papa également, et mon tour viendrait probablement. J'avais honte de mon père et je priais pour que Jamel n'apprenne pas que lui aussi était cueilleur, qu'il quittait la maison à six heures et ne revenait que très tard le soir. Il avait pourtant été le meilleur de sa classe et il avait la plus belle écriture qui fût. Contrairement à mon père, Grand-mère aimait beaucoup parler de sa vie dans les champs. D'Abou Jiad le voisin qui avec son camion faisait le ramassage des veuves des environs pour les conduire à la cueillette des oranges ou des pistaches dans les vergers. Elle vaquait pieds nus et arborait fièrement la plante de ses pieds cornée et crevassée. « Du matin au soir, disait-elle, sous le soleil ou sous la pluie, la journée entière pour un shilling. » Grand-mère avait fait cela pour ses enfants, pour Papa surtout, son seul fils, afin qu'il puisse étudier. Mais il avait tout gâché et lui avait brisé le cœur. « Ce n'est pas tant la cueillette qui m'a bousillé les jambes et le dos que la peine que ton père m'a causée. Que Dieu le protège, car je n'ai personne d'autre que lui au monde. »
Grand-mère avait commencé à travailler dans les champs après la mort de son mari pendant la guerre[1], elle s'était retrouvée seule avec quatre filles et un fils de deux mois. Son mari désirait tant un fils, dit-elle toujours en

---

1. Guerre d'Indépendance de 1948.

essuyant une larme du coin du foulard qui recouvre sa tête. Grand-mère fut une véritable héroïne : lorsque les Juifs avaient bombardé Tira, elle s'était couchée sur son fils en plein milieu des blés. « Je me disais qu'il valait mieux que l'obus m'atteigne plutôt que lui. Comme si cela pouvait servir à quelque chose ! L'obus nous aurait bien évidemment tués tous les deux. »

J'essayais de me représenter ma grand-mère jeune ; sans succès. Je la voyais toujours telle que je la connaissais, avec ses pauvres jambes et sa robe blanche, allongée sur un bébé pleurant d'être orphelin, sous une pluie d'obus, dans les champs de blé de Tira. Un véritable miracle qu'ils en aient réchappé ! Elle s'était relevée et, l'enfant dans les bras, s'était mise à courir jusqu'à ce que le bombardier revienne, et elle s'était à nouveau jetée à terre. Grand-mère dit toujours que si une guerre venait à éclater, il ne faudrait surtout pas rester à la maison, car elle nous ensevelirait tous ; et pas question d'allumer la lumière ! Mieux vaut se cacher entre les arbres !

J'aimais rêver des champs de Grand-mère, du hangar et des habitants du village, rassemblés comme pour une fête, battant le blé de leurs fourches pour séparer la paille du grain.

Autrefois, ils avaient été riches. Trois chameaux acheminaient la récolte et les légumes de leurs champs d'Al Bassa jusqu'à la maison. Il en coûtait un shilling par chameau. Grand-père et Grand-mère possédaient des vaches, des chevaux et un chien dressé qui n'avait

jamais pénétré dans la maison, imperturba-
blement assis sur la terrasse à protéger les
poules des chats.

Mon grand-père était un homme très intelligent qui savait lire et écrire et qui avait une
belle écriture. Mais à l'époque, il n'existait
pas d'écoles comme aujourd'hui ; autrement
Grand-père aurait étudié la médecine et serait
devenu docteur. Grand-mère dit que si elle
avait eu le droit de faire des études, elle aurait
pu devenir ingénieur. Ce métier lui aurait
convenu à merveille. En tout cas, son manque
d'instruction ne l'empêche pas de jouer aux
cartes, de compter, d'additionner ou sous-
traire, ni de connaître avec précision les
limites de chaque parcelle de champ. Dans la
chambre de Grand-mère, la seule photo de
Grand-père le représente avec sa petite moustache. C'était un héros, un homme courageux qui avait combattu les Juifs, mais qui
était mort sur le seuil de sa maison en se penchant pour cueillir du raisin. Il avait seulement eu le temps de s'écrier « Allah ! » avant
de s'effondrer, touché par une balle. Grand-
mère n'avait pas compris tout de suite.
« Allez ! Lève-toi, homme ! Qu'y a-t-il ? » lui
avait-elle dit, croyant à une blague.

Grand-mère répète à l'envi que Grand-père
est un martyr. À l'endroit où son sang s'est
répandu des coquelicots ont fleuri. Les vers,
dit-elle, ont mangé le cadavre d'Abou Jiad,
mais ils ne se sont même pas approchés de
Grand-père. C'est ainsi : le corps d'un martyr

échappe à la putréfaction. Il demeure intact à jamais.

4. Haflat 'Aden

Mon père avait acheté le premier magnétoscope du quartier. Un magnétoscope en métal, lourd et encombrant. À l'époque, les cassettes étaient plus petites et plus épaisses. Au début, tous les proches venaient dire bonjour et ils apportaient des sacs de riz et de grands paquets de café. Papa leur passait *Le Samouraï noir* ou le film indien *Amar Akbar Antony* avec Amitav Bachan, l'histoire de trois frères séparés dans leur enfance après l'assassinat de leur père par un brigand ; à la fin ils se retrouvent et se vengent. Un jour Papa rapporta une cassette vidéo intitulée *Haflat 'Aden*. Nous l'avions regardée d'une traite. Toute la famille était assise devant la télévision, Grand-mère le plus près possible car elle ne voyait déjà plus très bien. On y voyait des enfants avec des keffiehs et des pistolets, des danseurs, des chanteurs et des poètes. Nous connaissions les chansons par cœur. Ainsi celle que la petite fille chante à son père quand il part à la guerre ; immanquablement elle arrachait une larme à Grand-mère. Tout le monde faisait le V de la victoire avant de monter sur une estrade. Les amis de Papa venaient souvent voir la cassette. Ils grignotaient des graines de tournesol devant l'écran. Papa se moquait à chaque fois d'eux

lorsqu'ils n'avaient pas reconnu quelqu'un.
« Mais qu'est-ce qui t'arrive ? Tu ne
reconnais donc pas Abou Jihad ? » ou « Tu
n'as jamais vu Mahmoud Darwich ? » Un
jour il mit même à la porte quelqu'un qui
avait pris Al Fakahani pour un marchand de
légumes de Beyrouth. Le soir venu, il confiait
la cassette à Grand-mère pour qu'elle la cache
dans son poulailler. Maman ne supportait pas
les volailles, leur bruit et leurs saletés. Grand-
mère et elle s'étaient déclaré la guerre et ne
s'étaient pas parlé pendant une longue
période. Moi, j'étais du côté de Grand-mère.
Puis un jour, Maman mit le feu au petit poulailler et la cassette de *Haflat 'Aden* brûla.
Papa, très en colère, avait préféré partir jouer
aux cartes.

Le lendemain, il n'était pas revenu du travail.
Nous n'avions pas le téléphone et Maman
avait décidé de partir à sa recherche en jeep
avec l'Oncle Bashir. Toutes mes tantes
avaient débarqué à la maison en larmoyant ;
elles parlaient de tracts, de journée de la
Terre et d'arrestations.

Toute la nuit, assise sur sa natte de paille sous
les eucalyptus à l'entrée de la maison, Grand-
mère avait attendu en pleurant. Maman non
plus n'était pas rentrée. Grand-mère nous
avait dit, sans plus de détails, qu'elle était
avec Papa. Le lendemain, mes frères et moi
n'allâmes pas à l'école. J'étais resté assis sur la
natte avec Grand-mère, sous son arbre. Elle
n'arrêtait pas de se balancer doucement. Ses
yeux étaient rouges et gonflés, perdus au loin

dans la rue. Dès qu'une voiture surgissait, Grand-mère s'immobilisait et redressait la tête pour la suivre des yeux avant de reprendre son mouvement, le regard vide.

Maman voulait couper les eucalyptus devant notre maison. Elle disait qu'ils n'apportaient que de la saleté et qu'ils enlaidissaient l'entrée. Cela porterait malheur, avait objecté Grand-mère. Pour elle, dans chaque eucalyptus se tenait un *wali*, un saint, qui veillait sur la maison et le village. Elle lui expliqua comment le père de Grand-père, Cheikh Ahmed, rencontrait sous l'eucalyptus les rebelles de Jaffa et des montagnes pour leur indiquer les endroits où les Juifs se tenaient embusqués et quel chemin il était préférable d'emprunter.

Deux jours plus tard mon père avait été libéré. Il s'était fait arrêter à un barrage alors qu'il se rendait à Taibeh pour une manifestation. Ils avaient fouillé la voiture et trouvé des tracts. Papa portait une barbe de deux jours et était méconnaissable. Grand-mère le serra dans ses bras et sans arrêter de pleurer lui demanda : « Mon Dieu ! Tu ne comprendras donc jamais ? Mon fils chéri. »

5. Les amorces

J'ai toujours été certain que la guerre éclaterait. Quand j'étais petit, mes frères et moi nous creusions des tranchées dans la plantation derrière notre maison. Avec nos petites mains, nous avions du mal à creuser en profondeur car on atteignait vite une terre assez dure et nos tentatives pour l'amollir avec de l'eau restaient vaines. Nous voulions en creuser tout autour de la maison afin de pouvoir nous y cacher dès le début des tirs. Il fallait que l'on puisse se tenir debout ; seuls Papa, Maman et Grand-mère auraient à se courber. Nous remplissions aussi des sacs en plastique avec du sable et les installions en rempart, exactement comme Grand-mère nous avait dit qu'ils procédaient pendant la guerre. Mais les sacs étaient peu résistants et craquaient au bout de quelques jours.

Un jour Papa nous avait conduits au village de Yabad[1] pour y rencontrer des collègues de l'entrepôt d'emballage. Leurs voitures portaient un numéro vert. « C'est ainsi que les Juifs les marquent », n'avait pu s'empêcher de nous dire Papa. À Yabad, c'était vraiment la guerre, contrairement aux histoires de Grand-mère. Les maisons des amis de Papa étaient criblées de balles. Cela m'avait terrorisé car il ne m'était encore jamais venu à l'esprit qu'une balle puisse pénétrer à l'intérieur d'une maison. Les portes en fer peintes en vert étaient percées de trous qui laissaient voir le salon.

Papa avait dit que chez nous cela ne risquait pas d'arriver car nous étions différents. Nous l'avions cru parce que les gens de Yabad

---

1. Village en territoire cisjordanien occupé.

parlaient autrement et surtout parce que chez nous les portes étaient en bois.

Papa et Maman nous serraient tous les quatre sur le siège arrière de l'auto pour aller jusqu'à Yabad, mais souvent nous étions contraints de revenir à la maison sans avoir vu leurs amis. À mi-chemin, Papa se mettait à jurer avant de faire demi-tour en disant qu'il était impossible d'aller plus loin à cause des barrages. Nous n'étions que des nuls et des vendus, s'emportait-il alors, pas comme les habitants de Yabad et leurs enfants qui, eux, étaient des héros.

Mes frères et moi passions des journées entières à jouer à la guerre. Au début, avec des épées, ou plus exactement des bâtons, comme dans les films épiques sur le prophète Mahomet. Moi j'étais Hamza, l'oncle du prophète, celui qui est toujours invincible, armé d'une épée à deux lames et qui n'hésite pas à se battre contre une dizaine d'hérétiques en même temps avant de les tuer tous, les uns après les autres. Mon grand frère était Ali, le neveu de Mahomet, quant à mes deux autres petits frères ils étaient les califes Omar et Othmân, ses représentants. Impensable en effet d'être le prophète Mahomet lui-même ! Grand-mère nous avait prévenus : nous irions en enfer si nous faisions cela. D'ailleurs, le Prophète n'apparaît jamais dans les films ; on ne voit que son chameau auréolé de lumière. Ensuite, nous jouâmes avec des pistolets comme dans le film du Libyen Omar Al Moukhtar ou celui de l'Algérien Jamila

Boukhird. Pour l'*Id Al Fitr* et l'*Id Al Adha*, Papa nous emmenait à Tulkarem pour nous acheter des pistolets en métal. Aucun enfant du village n'en avait d'aussi beaux, et surtout faisant autant illusion. Avant les fêtes, quand nous pouvions encore avoir des amorces à l'épicerie, nous jouions pour de vrai. Après on criait : « Pan ! Pan ! », et celui qui tirait devait appuyer en même temps sur la gâchette, autrement ça ne comptait pas.

Lorsque nous fûmes plus grands, Papa nous rapporta des *Rambo* ou des films de commandos. Nous passâmes alors aux armes lourdes et nos jeux guerriers sortirent de la maison et de la plantation pour s'étendre à tout le quartier. Mon grand frère était général d'une brigade et moi d'une autre. Jamais il ne sortait vainqueur, sauf lorsqu'il rusait ou quand un des soldats de ma brigade avait délaissé sa position pour aller faire pipi. Une fois vraiment grands, ce furent les armes automatiques. De grands fusils en bois avec chargeur, gâchette et sangle pour les porter à l'épaule. Nous fabriquions tout nous-mêmes. Au début nous appelions tous les fusils *bren*, terme puisé dans les histoires de Grand-mère, mais après avoir vu *Azit, la chienne parachutiste* nous nous sommes mis à les appeler *Uzi*. À l'époque il existait un modèle capable de faucher sept Arabes d'un coup. Papa, bouleversé, nous avait dit qu'il s'agissait du M 16 qui peut tirer soixante balles à la seconde. Alors nous décidâmes d'appeler nos armes M 16, bien que personne ne pût crier soixante *pan !* en une seconde. Nous remplaçâmes alors le *pan !* par *brr...* Je baptisai ma brigade les « Fedayin », imité aussitôt par mon grand frère, car mon père disait toujours que les fedayin étaient les meilleurs.

Un jour Papa nous cria de rentrer immédiatement à la maison. Nous étions en plein milieu d'un jeu et j'étais sur le point de tuer mon grand frère mais, les cris redoublant, nous n'eûmes pas le choix. Nous relevâmes nos deux petits frères de leurs positions et accourûmes à la maison, car Papa pouvait devenir violent quand il était en colère. Lorsque nous arrivâmes, il avait monté le son de la télévision presque à fond. Maman pleurait. Grand-mère, qui ne pleure jamais, avait visiblement la gorge nouée.

« Regardez ! » nous ordonna Papa qui répétait sans cesse : « *Yallan Allah ! Yallan Rabhoum, Yallan Rab Allah qui les a créés !* » Grand-mère déchirait ses vêtements en gémissant. Alors, mon grand frère et moi, contents de ne pas avoir été battus, nous comprîmes que Papa voulait que nous voyions le film qu'il était en train de regarder. Le lendemain nous recommençâmes à jouer à la guerre. Mon frère appela sa brigade Sabra et moi la mienne Chatila.

6. Scout

Un jour, on me fit monter sur scène. Je devais être en neuvième. Un homme avec un étrange accent était venu avec mon père m'attendre à la sortie de l'école. Papa m'avait confié à lui et l'homme à l'accent m'avait conduit en voiture dans une maison que je ne connaissais pas. Une belle et grande maison, avec d'immenses canapés et pleine de plantes et de fleurs en plastique. Il avait sorti de sa poche une feuille de papier sur laquelle étaient écrites des phrases en arabe que je ne comprenais pas en me disant que j'allais le soir même ouvrir le festival Jaffra. Il m'avait demandé de les apprendre par cœur et m'avait montré comment faire le V de la victoire.

Le soir venu, après m'avoir coiffé d'un keffieh, on m'avait fait monter sur une estrade où étaient installés des musiciens. Le corps noué, j'avais récité mon texte où revenait souvent le mot *watan* (patrie) d'une voix tremblante. Je n'avais jamais vu autant de gens me regarder et m'écouter. Puis j'étais descendu de l'estrade en faisant un V avec les doigts sous un tonnerre d'applaudissements. Papa qui m'attendait en coulisses avait souri en me voyant courir vers lui pour me cacher. L'homme à l'accent avait lui aussi souri et m'avait dit quelque chose que je n'étais pas parvenu à comprendre. J'avais été parfait, m'avait assuré Papa.

Mon père m'avait envoyé chez les scouts. Il m'avait promis que lorsque je serais grand je deviendrais aviateur, et qu'avant la fin du lycée nous aurions un État ; je pourrais alors apprendre à piloter. Pour Grand-mère, je ne pouvais être que ministre ou juge. Chez les scouts nous jouions tout le temps au football, et quand un des maîtres de l'école mourait, il nous revenait d'accompagner le cercueil. Puisque seuls les gradés étaient dignes de cet honneur, Papa m'avait emmené à Tulkarem pour y acheter un pantalon kaki, une chemise verte et du tissu pour confectionner des cravates.

Alors que nous étions chez un marchand de vêtements, au-dehors des cris avaient retenti. Le commerçant nous avait demandé de sortir et avait baissé le rideau de fer. Dans la rue, des adolescents défilaient avec des drapeaux ; la chaussée était barrée de pneus. Papa m'avait laissé à côté de la voiture et s'était précipité vers eux avec un briquet. Je m'étais mis à pleurer. J'étais persuadé que c'était la fin du monde, celle dont on parle aux cours de Coran. Papa m'avait dit qu'il ne me croyait pas aussi froussard. « Pourquoi donc faire tant de cirque pour avoir un fusil ? » avait-il ajouté.

Grand-père, lui, en avait un. C'était, dit Grand-mère, un valeureux combattant ayant participé à la défense de Tira. Les Juifs n'auraient jamais pu pénétrer dans notre village si les Arabes ne nous avaient pas trahis. Papa, lui, remerciait le roi Abdallah d'avoir livré à temps le village aux Juifs, avant qu'ils nous aient égorgés tous les uns après les autres.

Quand Grand-père apprit que le fils qu'il avait eu avec sa première femme avait été tué, il jura de le venger. Aqab était un vrai héros, un « rebelle ». Il possédait un cheval, un fusil et une ceinture bourrée de grenades. Un vendredi, une balle l'avait atteint au ventre et toutes ses grenades avaient explosé en même temps. Son corps s'était éparpillé dans toutes les directions. Grand-mère nous a relaté que toute la famille avait cherché jusqu'au soir quelque chose à enterrer, et qu'elle n'avait récupéré que ses épaules et sa tête aussi ronde que la lune.

Après les funérailles, durant la nuit, Grand-père était monté sur le toit de l'école pour suivre la relève de soldats irakiens derrière un *bren* camouflé par des sacs de sable. Il avait entendu les Juifs approcher et leur commandant ordonner, en hébreu : « En avant toute ! » nous racontait Grand-mère en chuchotant. La première balle avait atteint le commandant, celui qui avait lancé « En avant », et Grand-père, voyant les Juifs partir à la débandade, s'était emparé du *bren* et les avait mitraillés. « Quels trouillards, ces Juifs ! Il n'y a que ces chiens d'Anglais pour en vouloir ! » ricanait Grand-mère.

Un jour, les Anglais étaient entrés dans la maison de mes grands-parents. Papa n'était pas encore né. Ils avaient tout retourné, avaient renversé le sel et le sucre, brisé des assiettes et même uriné devant Grand-mère. L'un d'entre eux se serait assis sur une grosse jarre pleine d'olives pour y déféquer. Lorsque, après leur départ, ils voulurent la vider, les étrons de l'Anglais surnageaient au milieu des olives.

7. Jadis les habitants de Tira étaient plus courageux

Jadis les habitants de Tira étaient plus courageux. Jamais ils n'auraient laissé un Juif pénétrer dans le village. Tira avait résisté jusqu'au moment où il avait été livré. Un jour les Juifs avaient tenté de s'y infiltrer en se faisant passer pour arabes. Ils avaient beau porter le keffieh, Abou Al Abed avait compris qui ils étaient. Il était en train de travailler dans les champs de blé avec sa famille quand il les avait aperçus. Il avait eu beau le dire autour de lui on l'avait traité de fou. « Qu'est-ce qui te prend ? Tu ne vois donc pas que ce sont des soldats irakiens ? » lui avait-on objecté. Abou Al Abed était certain d'avoir raison. Jamais un Juif n'aurait pu le tromper. « On n'a qu'à tirer un coup de feu en l'air et vous verrez bien ! avait-il lancé à la cantonade. Si ce sont des Arabes ils se mettront à foncer dans notre direction, si ce sont des Juifs ils se jetteront tous par terre. » Il tira et tous plongèrent dans la poussière. C'étaient des Juifs. Pour leur faire peur, Abou Al Abed continua de tirer, avec les autres hommes, pendant que les femmes et les enfants se pressaient de rentrer en hurlant dans les rues : « Prenez garde, les Juifs sont venus nous envahir ! »

Alors les hommes sortirent de chez eux. Fiers et braves, ils se mirent en chemin comme s'ils allaient à une noce. Les femmes chantaient le *za'arouta* (les Juifs disent les « youyous »). Faute de fusils, ils s'étaient armés de bâtons, de couteaux, de pierres et de bêches et ils n'ont laissé aucun Juif approcher. Le soir, ils revinrent au village avec trois cadavres de soldats juifs qu'ils avaient réussi à kidnapper. Abou Al Abed, avec l'aide d'autres combattants de Tira, les avait attachés à leurs chevaux pour les traîner jusqu'au commandement de l'armée irakienne à Tulkarem. Ils voulaient leur montrer que les Juifs étaient vulnérables et encourager les soldats à se battre. Mais les Irakiens les avaient éconduits : « Pas d'ordres, pas d'armes. »

Autrefois les gens du village étaient tout de même plus courageux et ils n'auraient jamais laissé Kahanah entrer. Les informations avaient annoncé qu'il prévoyait de se rendre à Tira. Le muezzin appelait à la révolte : « Habitants de ces murs ! Kahanah viendra demain rendre les prisonniers libérés. Honte à nous s'il entre ! »

À cinq heures le lendemain matin j'avais accompagné Papa à l'entrée du village, à la croisée des routes de Kfar Saba et de Ramat Ha Kovesh. Quelques hommes avaient édifié un barrage avec des pneus. « Il n'est pas question de laisser sortir les ouvriers », avait dit mon père, ajoutant qu'il fallait protéger le village. « Les Juifs enragent lorsqu'ils perdent une journée de travail. Imagines-tu quel préjudice nous leur causons quand on ne va pas travailler ? » avait-il poursuivi.

Lorsque des patrouilles de police s'étaient approchées, Papa, suivi par plusieurs autres personnes, s'était assis au milieu de la route. Je n'avais pas eu peur et étais allé les rejoindre. Le maire s'était avancé pour parlementer avec les policiers qui s'étaient reculés. Peu après, toute la population était mobilisée. Des milliers d'hommes barraient l'accès au village. Dans le ciel, un avion nous survolait. « Ils nous filment », m'avait dit Papa en masquant son visage avec sa chemise et en me montrant comment nouer la mienne, comme à la télévision. Ce soir-là mon père était rentré très tard à la maison. Maman et Grand-mère se rongeaient d'inquiétude. Sous les eucalyptus, devant l'entrée, elles guettaient sa voiture. Bien qu'elles ne m'aient rien demandé, je savais qu'elles voulaient être rassurées. Je n'avais pas peur. Je me sentais un homme. En réalité il ne s'était rien passé. Kahanah n'était même pas venu. Le lendemain matin, à l'école, cela n'empêcha pas les enfants de se vanter d'avoir brisé les vitres des patrouilles avec des pavés et de jurer que Kahanah avait réussi à pénétrer dans le village pendant la nuit, en passant par les vergers de Telmond, déguisé en femme.

8. Étudiant de troisième année

Papa écrivait que la fête ne signifiait rien pour lui. Qu'elle n'éveillait en lui aucun sentiment. Que pour lui, le moment de se réjouir n'était pas encore venu, et que lorsqu'il viendrait, alors il serait vraiment heureux, avec tout le monde. Et il ajoutait que, à l'occasion de l'*Id Al Fitr*, les visites seraient exceptionnellement autorisées et qu'il était permis de passer un kilo de sucreries.

La carte postale, écrite de la prison de Damon et postée à Haïfa, est datée du mois de mars 1970. Cela faisait un an déjà qu'il croupissait en prison ; un article de *Ha'aretz* que j'avais trouvé dans la valise expliquait que l'arrestation de mon père était liée à l'attentat de la cafétéria de l'Université hébraïque. Il était daté de mars 1969.

D'après ses lettres et les journaux, Papa avait été détenu pendant plus de deux ans. Une épaisse couche de poussière les recouvre. J'ai même trouvé une araignée séchée sur le diplôme du baccalauréat de Papa. Il n'avait pas particulièrement de bonnes notes et c'est peut-être la raison pour laquelle il dit toujours que les notes d'autrefois n'ont rien à voir avec celles d'aujourd'hui et que celui qui à l'époque obtenait un sept était d'un niveau supérieur à celui qui récolte maintenant un dix. Grand-mère a conservé tous ses bulletins. Elle ne sait pas lire mais ils sont importants pour elle. Jusqu'en troisième il n'avait eu que des dix. Dans leurs appréciations ses professeurs lui conseillaient d'être plus calme et plus discipliné. Sur le bulletin de passage de première en terminale on lit : « Passe en classe supérieure à condition de respecter l'ordre. »

En dehors de moi et de Grand-mère, personne apparemment ne connaissait l'existence de ces lettres, de ces journaux et de ces bulletins. La poussière témoigne que j'étais le seul à les consulter. Je posais les papiers à côté de Grand-mère pour les classer par dates, lieux et établissements pénitentiaires.

Elle avait en ce temps-là du mal à me voir. Je devais me mettre en face d'elle et lui crier dans l'oreille qui j'étais pour qu'elle me fît un câlin ou me donnât un baiser. Assise devant le poêle, elle se balançait en égrenant son chapelet, l'oreille tendue vers La Voix d'Amman, dans l'attente de l'appel du muezzin à la prière.

Dans toutes ses lettres de prison, Papa s'adressait à Grand-mère. « Dites à Maman chérie », ou « Dites à ma chère Maman », ou encore « Dites à celle qui m'est le plus chère »... Le plus souvent, il les expédiait à ses beaux-frères, les maris de mes tantes. Dans chaque lettre il disait qu'il allait bien, ou tout au moins s'efforçait-il d'en donner l'impression. Au mois d'octobre 1969 – la plus ancienne de toutes les cartes postales – il écrivait que les problèmes d'acclimatation à la prison étaient derrière lui. « Il y a en prison des gens que l'on ne rencontre pas ailleurs », dit-il. Papa s'entendait bien avec eux. Dans une autre lettre, il racontait à l'Oncle Bashir comment peu à peu il se sentait devenir « Abou Ali ».

Dans une lettre postérieure, après une nouvelle prolongation de peine de six mois, il évoquait l'extraordinaire bibliothèque où il aimait rester toute la journée à étudier. « Dites à Maman chérie que je suis ravi que l'on m'ait donné six mois de plus. Je l'ai moi-même demandé car je n'ai pas encore eu le temps de lire tant de livres. Il y en a tellement. Je ne consens à sortir de la bibliothèque que si l'on me réclame pour jouer aux échecs. Demandez à Maman de me rapporter de la maison un dictionnaire anglais-hébreu. »

Cinq ans ne lui suffiraient pas, écrivait-il à l'occasion d'une autre prolongation de peine, pour terminer les livres qu'il s'était promis de lire. Il parlait de la chance exceptionnelle qui lui était donnée de purifier son corps et son âme et de mettre à l'épreuve son endurance et sa volonté. Il comprenait maintenant que son destin était la prison et qu'il ne pouvait s'imaginer autrement que derrière des barreaux ou des fils de fer barbelés.

« Si je n'avais pas conscience de vous manquer, à toi et à mes sœurs, je resterais là éternellement. Je m'y sens bien. La seule chose qui m'angoisse est tout ce que vous avez fait pour me hisser au-dessus des autres. Je pleure pour chaque goutte de sueur que vous avez versée pour moi. Je vous ai déçues, je le sais. Désormais, mon souhait le plus cher est de vous dédommager. Et je ne sais comment le faire. »

Le journal était si jauni, la photo de Papa si passée que j'avais eu du mal à le reconnaître. Le commentaire ne présentait pas d'intérêt. Mais il y avait cette photographie de lui, et quelques mots au-dessous : son nom suivi de « étudiant de troisième année ». Ses notes en première et en deuxième année permettent de dire qu'il n'avait été un étudiant ni brillant ni particulièrement appliqué. Peu assidu aux cours. L'un d'eux avait pour sujet les « mouvements nationalistes à l'époque moderne » ; il était dispensé par le professeur Ya'acov Talmon. Je ne pense pas qu'il ait beaucoup travaillé à l'université, et j'ai suivi son exemple. Quand j'ai arrêté mes études, j'avais tellement honte que je n'ai pas osé revenir à la maison. Mais il ne m'a jamais traversé l'esprit de faire sauter une cafétéria par dépit.

Mon père avait vingt-deux ans lorsqu'il a été arrêté. Il pensait en avoir vingt-trois. Grand-mère a conservé une lettre qu'elle avait envoyée à la rédaction d'*Al Qouds* et qui avait été publiée sous le titre « Libérez mon fils ». Elle s'y épanchait sur son veuvage, la mort de son mari la laissant seule avec quatre filles et un fils depuis vingt-trois ans. Elle écrit qu'elle a toujours tout fait pour ses enfants, que son fils est toute sa vie, et elle demande aux ministres de la Police, de l'Intérieur et au Premier ministre de le libérer. Un article au-dessus de la lettre annonçait que le village d'Arabé allait être relié au réseau électrique au cours de l'année 1970.

Puis Grand-mère avait commencé une grève de la faim et Papa avait envoyé une autre carte postale à l'Oncle Bashir en l'adjurant de la convaincre d'arrêter. Si encore il souffrait d'être en prison... mais il s'y sentait bien. Vraiment bien. Il était le champion d'échecs de toute la section.

Mon père ne parle jamais de cette période. J'ai tout appris en lisant les journaux et ses lettres. En 1971, le Comité des étudiants arabes avait diffusé un tract qui fustigeait la politique de la détention administrative et exigeait que mon père fût traduit en justice ou libéré sur-le-champ ; la police avait clos le dossier d'instruction de l'attentat de la cafétéria et tous les protagonistes avaient déjà été jugés.

9. La mer Morte

Un jour, ma Grand-mère m'avait emmené à la mer Morte. Un lieu excellent contre les douleurs aux jambes. Elle avait demandé à son amie Amné de m'inscrire avec elle pour ce voyage. Amné organisait des excursions pour des femmes de leur âge, avec une prédilection pour les endroits réputés bénéfiques pour les os. Elles étaient déjà allées une fois à Hamat Gader, et une autre à Jérusalem pour la prière du vendredi.

Grand-mère et Amné se connaissaient déjà à l'époque des Anglais. Le mari d'Amné possédait un fusil ; il lui avait été donné par les Britanniques pour monter la garde au village. Un jour, il était rentré se coucher ; il l'avait posé à côté de lui, et l'affreux Abou Jiad avait pénétré dans la pièce pour le lui voler. Les Anglais étaient persuadés que le mari d'Amné avait vendu le fusil. Deux soldats l'avaient suspendu par les jambes à un bâton et l'officier lui avait fouetté la plante des pieds. Ils ne l'avaient pas cru quand il avait juré s'être fait dérober l'arme, et l'avaient déshabillé pour lui fouetter le dos. Ses hurlements s'entendaient jusque dans les champs alentour et tout le village était accouru. Alors que les Anglais étaient sur le point de le fusiller, Abou Jiad était enfin intervenu pour reconnaître avoir trouvé le fusil dans le champ. Un sacré menteur !

Amné avait la même allure que ma Grand-mère. Quand elles sortaient, elles portaient les mêmes robes blanches et se coiffaient du même foulard blanc. Elles étaient les plus âgées de cette expédition pour la mer Morte. De temps à autre ma Grand-mère me montrait discrètement l'une des jeunes femmes en demandant à Amné : « De qui est-elle la fille ? Elle a l'air sympathique. Pourquoi donc n'est-elle pas mariée ? » Pendant tout le trajet en autobus les plus jeunes chantaient et dansaient en tapant sur une darbouka.

L'une d'elles, un micro à la main, avait entonné une chanson indienne du film

Kourbani, alors très en vogue. Tout le monde connaissait les paroles et reprenait en chœur. Je m'étais installé entre Grand-mère et Amné. L'une me tenait la main droite et l'autre la gauche. Elles regrettaient de ne pas avoir pris leurs cannes. Il faisait terriblement chaud et le voyage en autobus les avait épuisées. Toutes les femmes s'étaient précipitées dans l'eau. Nous avions été les derniers à arriver sur la plage. Des filles se moquaient de nous, mais Grand-mère et Amné étaient bien incapables de les voir. Peu m'importait, je restais collé à elles. J'aimais tant leurs histoires. Leurs secrets. Les mêmes, toujours. Comment certains s'étaient tiré une balle dans la main pour ne pas être enrôlés par les Turcs et éviter d'être emmenés très loin, dans les montagnes, là où il y avait de la neige, et où on mourait de froid. Personne n'en revenait jamais.

Grand-mère et Amné avaient retiré leurs robes blanches ; elles portaient par-dessus leurs sarouals des tuniques moins belles, mais avec lesquelles elles pouvaient se baigner. Elles avaient avancé dans l'eau, lentement, pour ne pas tomber, avant de glisser sur les fesses. Je m'étais assis entre elles, leur tenant la main, et m'étais laissé entraîner jusqu'à l'eau.

Grand-mère avait beau me crier de venir, je restais dehors pour veiller à ce qu'elle ne se noie pas, attendant qu'elle sorte pour y aller à mon tour. Leurs tuniques blanches flottaient à la surface comme deux parachutes. Tout le monde riait, et moi avec. C'était la première fois que je voyais Grand-mère dans la mer. Maintenant, j'arrivais à l'imaginer jeune et forte dans les champs.

Autrefois les gens au village s'y aimaient. Grand-mère me racontait comment les garçons et les filles se donnaient rendez-vous au milieu des blés ou se faisaient les yeux doux près du puits à la sortie du village. Mais jamais elle n'avait fait ce genre de choses. Quand elle était jeune elle montait à cheval et galopait de Kelkilya jusqu'à Tira. Elle adorait chevaucher déguisée en homme et, le visage protégé d'un keffieh, partir au galop. Un jour deux cavaliers l'avaient poursuivie une heure entière sans parvenir à la rattraper. Lorsqu'ils avaient découvert qu'elle était une fille ils n'en avaient pas cru leurs yeux ; elle les avait chassés en leur criant d'aller voir ailleurs puis elle était rentrée à la maison.

Grand-mère était orpheline. Sa mère était morte en la mettant au monde et son père l'avait suivie peu après. Avec ses deux grands frères, elle avait grandi chez le frère aîné de son père. Son oncle et sa tante étaient très bons. Ils pensaient toujours à nourrir les orphelins avant eux-mêmes. Ils cultivaient leurs terres et leur donnèrent leur part d'héritage. Ils eurent une vie heureuse et meilleure que celle de bien d'autres enfants du village qui eux avaient un père.

Grand-mère ne connaissait pas Grand-père avant de se marier. Eux n'étaient pas allés dans les champs. Il arrive à Grand-mère de maudire Grand-père en y repensant. Elle l'appelle *Al Saïb* (l'homme aux cheveux blancs). « Il avait déjà été marié et avait trois grands enfants. » Deux de ses filles étaient mariées. Le frère de Grand-mère voulait épouser la troisième ; en contrepartie, Grand-père avait demandé Grand-mère en mariage. On appelle cela *badal* – un mariage d'échange. Donne-moi – je te donnerai ; ne me déshonore pas – je ne te déshonorerai pas. La troisième fille de Grand-père était une méchante femme. Elle en a toujours voulu à Grand-mère d'avoir épousé ce père qu'elle aurait voulu pour elle toute seule. Grand-mère nous raconta, à Amné et à moi, que Grand-père l'avait battue à cause de cette troisième fille qui était revenue chez son père en pleurant : « Papa, papa, mon mari m'a frappée, il m'a jetée dehors. » Pur mensonge, comme on l'apprit par la suite. Mais trop tard. Grand-père avait déjà roué de coups Grand-mère. Il en est ainsi du *badal*.

Donnant, donnant. Tu l'as chassée, alors je te chasse. Ainsi tient-on les femmes. C'est une garantie.

« Mais il était quand même bon avec toi, lui avait lancé Amné en la poussant du coude. Pourquoi ne racontes-tu jamais qu'il te portait sur ses épaules, comme mon mari ; qu'Allah le protège ! Pourquoi ne parles-tu pas du jour où il t'a emmenée au théâtre à Jaffa écouter des chanteurs ? » Amné s'était tournée vers moi : « Ton grand-père l'avait coiffée d'un tarbouche et lui avait prêté des vêtements d'homme. Quelle femme du village avait à cette époque vu un chanteur ? Tout ça, tu l'oublies, hein, ma vieille ? Et comment il t'emmenait partout à cheval. » Amné avait donné un nouveau coup de coude à Grand-mère qui s'était mise à sourire en marmonnant quelque chose et elle avait conclu : « Sans lui nous n'aurions jamais connu la mer Morte. »

10. Cinq petits pavés

À part une photographie en buste d'un homme d'une quarantaine d'années portant une petite moustache et une jaquette bleue sur une chemise blanche, il ne me reste aucun souvenir de mon grand-père. Grand-mère dit parfois qu'il fut un héros, et parfois un vieux cavaleur l'ayant enlevée à ses oncles quand elle était très jeune.

Lorsque nous étions tout petits, à chaque fête, Grand-mère nous emmenait le matin au cimetière derrière la maison. Presque tout le village y allait, c'était la coutume. Mon père ne nous accompagna jamais. La tombe de Grand-père était simple, plus modeste que les autres. Le cimetière était bondé et tout le monde était assis, pleurant à côté des magnifiques tombes blanches. Toutes fleuries. Certaines comportaient des sortes de minarets, d'autres, trois ou quatre étages. Mon grand frère disait que celles de quatre étages étaient réservées aux cheikhs et aux hommes assurés de gagner directement le paradis, comme on nous l'apprenait aux cours de religion. À chaque fête le nombre des tombes augmentait. Mon grand frère avait l'habitude de déambuler pour repérer les nouvelles tombes en marbre et en céramique et vérifier que les morts ressuscitaient comme on le disait. Je n'osais pas m'éloigner de Grand-mère. Il n'était pas question, disait-elle, de s'asseoir sur une pierre car toutes avaient un jour été des tombes ; je faisais très attention et j'y regardais à deux fois avant de faire un pas, tout en m'agrippant à sa grande robe blanche pour ne pas me perdre dans la foule. J'allais jusqu'à éviter les plus petites pierres, supposant qu'elles étaient peut-être des sépultures d'enfants. Grand-mère disait toujours que les petits enfants ne meurent pas. Dieu simplement les choisit pour les prendre avec lui et les transformer en anges.

Il y avait cinq pavés recouverts de végétation. L'herbe verte et haute en hiver laisse la place en été à de la paille jaune et sèche. Grand-mère écartait les branches pour dégager les pavés recouverts de sable. Puis elle s'asseyait à côté de la tombe et récitait des versets du Coran. Elle n'avait jamais fait d'études, néanmoins elle affirmait en connaître beaucoup. Puis, quand les anciens de la mosquée appelaient dans les porte-voix pour la fête, tous les gens se serraient la main et distribuaient des pièces de monnaie et des sucreries aux enfants. Certains camarades de ma classe réussissaient à récolter assez d'argent pour pouvoir acheter dix revolvers. Ils n'avaient qu'à dire : « Allah vous protège ! » Seuls les garçons venaient au cimetière pour quêter. Jamais les filles.

Grand-mère apportait toujours un sachet rempli de la monnaie faite à l'épicerie pour la partager entre les enfants. Elle distribuait beaucoup d'argent et je lui en voulais de ne pas me donner tout. Je lui disais : « Je les connais. Ils ne méritent rien. »

Grand-mère ne voulait pas que nous acceptions de l'argent mais il arrivait qu'on nous tendît quelques pièces sans que nous ayons besoin de dire : « Allah vous protège ! » Grand-mère nous interdisait aussi d'accepter des biscuits, même si des vieilles femmes dans son genre la suppliaient de nous autoriser à manger un petit bout pour l'amour du prophète Mahomet. Grand-mère se comportait toujours à leur égard avec une amabilité chaleureuse, baisant leurs mains et souhaitant le repos de l'âme de leur être le plus cher, mais elle n'acceptait rien.

Comme elle, je refusais et je la croyais lorsqu'elle nous défendait de recevoir la moindre chose dans un cimetière. Elle disait que nous n'avions besoin de rien et qu'accepter de l'argent était le lot des mauvais enfants. Elle aimait nous emmener avec elle. Elle disait qu'au moins nous saurions où Grand-père était enterré, contrairement à Papa qui s'était toujours comporté comme s'il n'était pas son fils.

11. En route vers la mer

Papa aussi nous parlait souvent de Grand-père, surtout lorsque nous allions à la mer. C'étaient toujours les mêmes histoires. En vue de Ramat Ha Kovesh, l'épisode de l'accident d'Oncle Mahmoud avec sa nouvelle Dodge qui avait été entièrement détruite le faisait éclater de rire. À Kfar Saba il nous montrait toujours le petit bâtiment dans le sous-sol duquel il avait été conduit plusieurs fois pour être interrogé par le Shabak. Il avait toujours refusé de rapporter ce qui se disait dans les cafés. Il répétait toujours quand nous passions devant le cimetière de Telmond qu'était gravé sur toutes les tombes : 1948, BATAILLE DE TIRA et disait que nous pouvions le croire, car il l'avait vu de ses propres yeux.

Aujourd'hui encore, continuait-il, nous leur avons pris tant des leurs que les gens de Ramat Ha Kovesh et de Telmond ne nous adressent plus la parole. Il ne savait pas combien d'hommes Grand-père avait tués, sûrement un grand nombre, disait-il. Bien que n'ayant pas trouvé la mort au combat, Grand-père avait été un vaillant combattant. Et Papa finissait invariablement en nous promettant de s'arrêter un jour pour nous faire visiter le cimetière. Nous allions presque chaque semaine à la mer, mais jamais cependant nous ne nous y sommes arrêtés.

Grand-mère n'aimait pas que l'on aille à la mer. Elle mettait tout le temps Papa en garde, lui proposant plutôt de nous emmener à la montagne. Pour le même prix, disait-elle, il pourrait acheter quelques poulets de plus aux enfants. Elle nous attendait avec angoisse et ne se calmait qu'à notre retour. Dès qu'elle nous voyait arriver dans la rue elle redressait la tête, cherchant à compter les passagers de la voiture avant même que nous ne fussions garés. Pour Grand-mère, la mer était dangereuse. Même près du bord, disait-elle, des trous d'eau pouvaient nous engloutir. Un de ses beaux-fils s'était noyé.

Mais elle aimait nous raconter comment dans son enfance elle y allait tout le temps. Tout Tira s'y rendait. Les terres du village s'étendaient alors jusqu'à la mer. Elle restait près du bord, trempant seulement ses pieds. Les gens venaient à la plage avec des chameaux chargés de pastèques. Grosses et goûteuses, pas comme celles d'aujourd'hui. À chaque mètre se tenait un vendeur de pastèques. Des étrangers qui parlaient une langue que seuls les adultes comprenaient venaient en acheter, accompagnés d'une multitude de porteurs pour les charger dans les bateaux.

Grand-mère faisait le trajet à dos d'âne avec ses oncles et leurs enfants. Puis, avec l'argent des pastèques, ils se rendaient jusqu'à Kalkilya pour y acheter des vêtements, les mêmes pour tous. Il ne fallait pas faire de jaloux. À l'époque tout était différent. Il n'y avait pas d'escrocs et les gens n'avaient pas peur. On ne craignait que les hyènes et les loups.

Pour les fêtes, ils allaient à la mosquée de Sidna-Ali. Les hommes sacrifiaient des moutons et les femmes allumaient un feu pour les faire griller. D'après Grand-mère, seules les femmes des villes qui s'exprimaient différemment et qui s'habillaient comme des prostituées se baignaient. Elles n'avaient pas honte, comme ma mère qui, pour faire jeune, se promène tête nue. Les femmes des villes ne cuisinaient pas et se laissaient nourrir par les paysannes qui préféraient en rire. De vraies folles !

12. La terre

Après la mort de Grand-père, Grand-mère avait été contrainte de quitter la maison. Ses beaux-fils, plus âgés qu'elle, la réclamaient ; elle y renonça en échange de terres. Il y en avait à profusion et donner deux *dounam*[1] de blé contre une maison ne posait alors aucun problème. Grand-mère dit : « Me jeter dehors avec mes jeunes enfants, quatre filles et un bébé dans ses langes ! Et maintenant ils veulent la terre ! Ils peuvent toujours rêver ! » Aujourd'hui tout le monde est prêt à se battre pour dix centimètres carrés de terre supplémentaires. Les enfants de ses beaux-fils prétendaient à présent que le partage n'avait pas été régulier et lui demandaient un demi-*dounam* en compensation. Mais Grand-mère n'avait pas l'intention de céder. Elle releva la tête, sortit ses griffes et se défendit debout sur

---

1. Mesure agraire (un *dounam* = un are).

66

sa terre. Ce que les Juifs lui avaient pris était bien suffisant. Elle sortit des documents plastifiés d'un dossier bleu et murmura : « Ça, c'est le cadastre, et ça, l'acte de propriété. Tout est inscrit ici, avec les plans contresignés par les notaires. Ils me croyaient naïve, juraient que je pouvais leur faire confiance. Mais heureusement que j'ai fait signer tout le monde. »

Grand-mère était allée demander à la mairie qu'on lui photocopie les documents en dix exemplaires. Elle avait rassemblé tous les arguments en faveur de ses droits sur sa terre et elle avait envoyé à la figure des enfants de ses beaux-fils tout ce qu'elle avait enduré lorsqu'elle était réduite à vivre sous la tente. La terre ne lui avait été donnée ni par bonté ni par amour, s'indigna-t-elle en leur jetant sous les yeux les documents officiels. « Vous n'avez qu'à faire venir un géomètre. On partagera les frais. Et si je vous dois quelque chose – vous l'aurez. »

Finalement ils s'étaient avoués vaincus et ils s'en étaient allés, laissant Grand-mère triomphante et aphone. Elle avait été meurtrie par toutes ces choses qu'elle s'efforçait d'oublier et qui avaient été ravivées. La belle-fille du *badal* l'avait poignardée en plein cœur. Grand-mère ne pleure jamais, mais sa voix peut s'étrangler de tristesse. « Ai-je laissé ses frères mourir de faim ? Que Dieu la maudisse ! Ici et dans l'autre monde. »

Grand-mère reproche à Papa de ne pas savoir tenir tête à ces vauriens. De se laisser impressionner par quelques fiers-à-bras. De ne pas être capable de sauver une terre et de ne pas savoir en apprécier la valeur. Parfois elle rêve d'un endroit ayant pour nom Al Bassa où ses parents avaient l'habitude de passer l'été. Les pastèques y poussaient avec pour seul engrais la fiente des poules. Elle rêve des chameaux qui les y conduisaient contre trois groush[1] par personne. Après la guerre elle y était retournée une fois, avec un sac de paille pour chapeau. Les enfants ayant eu faim, elle avait voulu aller glaner dans les champs. On ne l'avait pas laissée entrer. « Fiche le camp, lui avait-on dit, il n'y a pas de terres par ici, va-t'en ! Va-t'en ! » Elle avait bousculé le soldat mais il avait pointé son fusil sur sa poitrine.

Au temps où l'URSS était une grande puissance, Papa disait que les terres leur seraient restituées. Il nous parlait d'avions et de tanks, de missiles antiaériens, de bateaux et de sous-marins. « Les Russes ne sont pas comme ces pourris d'Américains qui envahissent les écrans. C'est un peuple discipliné. Leurs soldats sont bien entraînés. Jamais ils n'abandonneraient leurs positions. » Et il parlait toujours de ce Russe qui avait tapé sur la table de l'ONU avec sa chaussure en menaçant les États-Unis et Israël.

Papa nous obligeait à suivre les jeux Olympiques et à soutenir l'URSS. Il disait que les jeux c'est comme la guerre. Celui qui

---

1. Ancienne unité monétaire équivalant à nos centimes.

68

triomphe en sport triomphe aussi dans les airs. Les Russes étaient toujours en tête et nous étions convaincus de leur supériorité. Les gens avaient encore de l'espoir. Deux filles dans notre village s'appelaient Valentina. À Kalansawa, quelqu'un avait prénommé son fils Castro. Aujourd'hui encore, on l'appelle Abou Castro.

Mais peu à peu le rêve de Papa vira à la superstition. Il continuait à soutenir les équipes de football en maillot rouge mais il cessa de suivre les jeux Olympiques. L'espoir se mua en désespoir et les livres de Marx et de Lénine furent relégués en haut de la bibliothèque, remplacés par l'annuaire en hébreu et en arabe.

« La terre c'est comme l'honneur », aime à dire Papa. Quiconque vend sa terre vend son honneur. Pour chaque *dounam* on se voit proposer cinq mille dollars. Grand-mère en possède trois ; ils équivalent à quinze mille dollars. Une belle somme, mais pas question de vendre. De toute façon, cinq mille dollars, ce n'est rien pour un *dounam*. Déjà une multitude de notaires sont sur les rangs. Tout le monde veut vendre. « Je ne comprends pas comment ils peuvent faire cela. Ils ne les récupéreront jamais. Mais allez savoir... C'est une affaire de principe. » Mon père s'intéresse à la politique, il regarde les informations et lit attentivement la presse. La radio reste allumée à côté de lui jour et nuit. Il semble complètement anéanti. Maintenant il réalise que tout est fichu et qu'au train où vont les choses, ils finiront par nous prendre tout ce qu'il nous reste de terres. « Vous fuirez, nous dit-il, à moi et mes trois frères. Aucun de vous ne restera pour protéger la terre. Des réfugiés ! C'est ça que vous voulez être ? Regardez ce qui est arrivé à ceux qui se sont enfuis. Mieux vaut mourir que fuir. Pourquoi ne comprenez-vous donc pas la valeur de la terre ? »

Deuxième partie

Fracture du crâne

1. L'enfant le plus turbulent du village

Mes parents disent que j'étais l'enfant le plus turbulent du village jusqu'au jour où je me suis fracturé le crâne en sautant du toit. Ils se sont toujours inquiétés de mon avenir, s'évertuant à me donner une bonne éducation ; rien n'y faisait. Ils étaient désespérés. J'étais infernal tant avec eux qu'avec la famille et l'entourage.

Papa dit que tout le monde me détestait, que les petits enfants n'osaient pas passer seuls devant notre maison et que des voisins s'étaient même plaints à la police. Mes parents avaient envisagé de me placer dans un établissement pour enfants difficiles, mais j'étais vraiment trop jeune : je n'allais même pas encore à l'école.

Ils se souviennent en riant comment je me levais avant tout le monde et sautais par la fenêtre pour filer à l'école voisine récupérer les bouteilles et les tuyaux que les fumeurs de haschich utilisaient en guise de narguilés ; comment je parcourais les champs en quête des plaques d'immatriculation carbonisées des voitures volées abandonnées et incendiées dans la nuit pour les rapporter à la maison.

Je n'avais pas encore quatre ans que mes parents me voyaient déjà voleur de voitures et toxicomane. À chaque fête, disent-ils, pendant que les délinquants de Tira partaient voler de grosses voitures, je m'enfuyais pour aller les attendre à l'entrée du village avec les voyous et les drogués du coin et applaudir à leurs cascades et autres prouesses automobiles. Ces fêtes étaient un vrai cauchemar pour mon père : il passait son temps à me courir après dans les rues.

Maman dit que le samedi, quand elle allait voir ses parents, elle était obligée de m'attacher à sa jambe par une corde de crainte que je ne lui échappe. Je n'aurais pas manqué de le faire pour aller pourchasser les chats, renverser les poubelles, frapper ou sonner à toutes les portes des maisons. À cause de moi, Papa avait dû vendre un demi-*dounam* de terre pour acheter une auto. Les voitures étaient chères à l'époque, mais ils n'avaient pas eu le choix car il leur fallait trouver une solution pour me conduire chez le pédiatre à Kfar Saba. Un seul voyage en autobus avait suffi. Ma mère avait fondu en larmes lorsque le chauffeur s'était arrêté pour nous demander de descendre.

Mon grand frère a le corps couvert de cica-trices. « Tu avais voulu l'opérer », disent mes parents en montrant celle, petite, qu'il porte sur le ventre, avant de désigner les grosses sur ses jambes. Ils disent qu'un jour j'avais tenté de changer ses jambes de côté.

J'avais fait un sort à trois télévisions neuves et presque chaque semaine mes parents devaient acheter un nouveau service de table. J'avais cassé toutes les serrures des placards de la cuisine, bouché les toilettes avec du sable, égorgé les poules des voisins, mis des fourmis dans les yeux de mes neveux, incendié la moitié d'une plantation de mangues. J'avais une cachette remplie de frondes, mais au lieu de pierres, c'étaient des clous que j'envoyais en direction des voitures ou des passants ; comme ça, sans raison.

À cause de moi mes parents n'assistaient jamais aux mariages de leurs proches. Leurs nuits étaient pénibles car ils ne fermaient pas l'œil par crainte de ce que j'étais capable de faire. Les gens avaient pitié d'eux. Il était clair pour tout le monde que ça ne tournait pas rond dans ma tête.

Je n'avais peur de rien, ni des petits ni des grands, et pas plus des coups de ceinture que des serpents. Quand on me battait, je me mettais à pleurer en demandant pardon, pro-mettant que c'était la dernière fois, mais deux minutes plus tard, je cassais à nouveau quelque chose ; une autre catastrophe arri-vait. Je jouais si bien la comédie ! Je me tordais de douleur et feignais de mourir pour que l'on ait pitié de moi et que l'on me laisse tranquille.

Mes parents avaient tout essayé : la gentillesse, la fermeté, le ceinturon, le bâton, les claques sur les fesses, le dos ou les jambes. Ils avaient eu recours aux médecins, aux médicaments, aux cheikhs, aux voyants, mais ce fut finalement cette fracture du crâne qui eut raison de moi. Ils disent que depuis ce jour, je n'ai plus été le même. Cela arriva quand notre voisine, Aïcha, divorça de son mari Abou Ibrahim. Ce matin-là, dans l'attente d'un camion, elle avait apporté toutes ses affaires dans notre cour : un matelas, des couvertures, des coussins et des vêtements. Le tas semblait bien confortable ! L'idée me vint de grimper sur des pierres rapportées d'un chantier voisin puis de m'agripper au tuyau d'écoulement d'eau de la douche pour me hisser sur le toit. De là, je sautai sur le tas de tissu et de vêtements, mais je ratai mon coup et je me fracturai le crâne. On me crut mort. La chemise couverte de sang, Papa, accompagné par l'épicier Abou Yakan, m'emmena dare-dare à l'hôpital. Quiconque m'avait vu gisant sur les pierres dans une mare de sang aurait pensé que jamais je ne recouvrerais mes esprits. Pourtant, deux jours plus tard j'étais à nouveau sur mes jambes.

Mes parents disent que je ne me souvenais de rien, pas plus du choc que de ce qui précédait. Que cette fracture avait fait de moi un être humain. J'avais une fracture du crâne mais le cerveau n'avait pas été atteint. Quelle chance d'avoir la tête comme un roc. Après deux jours de coma, je m'étais réveillé un autre. Un enfant calme et poli, merveilleux. Intelligent. Le soir, à peine rentré de l'hôpital, j'avais enfilé mon pyjama et je m'étais brossé les dents avant d'aller embrasser mes parents pour leur souhaiter bonne nuit.

2. Le jour où pour la première fois j'ai vu des Juifs de près

Le jour où pour la première fois j'ai vu des Juifs de près j'ai fait pipi dans mon pantalon. Maman était très en colère car elle nous avait demandé de prendre soin de nos vêtements. Elle nous avait bien habillés dès le matin en nous envoyant à l'école, car le soir, à son retour du travail, elle devait faire la cuisine avant l'arrivée des invités.
Les maîtresses avaient décidé de nous emmener sur un terrain de football. Elles s'étaient assises sur des bancs pour papoter. Les enfants couraient, tombaient et tapaient dans le ballon. Les filles jouaient à se lancer du sable et des cailloux. Les institutrices grignotaient des graines de tournesol et se levaient régulièrement pour aller sermonner un enfant. Je savais que je ne devais pas jouer. Qu'il m'était interdit de salir mes vêtements, et surtout ce jour-là. Je portais une salopette bleue sur une chemise blanche. Le blanc est très salissant. C'étaient mes plus beaux habits,

les plus neufs. Si je revenais taché, on ne me laisserait pas voir les Juifs du travail de Papa. J'avais envie de faire pipi mais jamais je n'aurais baissé mon pantalon devant les maîtresses et les autres enfants. Certains l'avaient déjà fait, moi je ne pouvais pas. Je voulais me retenir. Mais je commençais à avoir mal. Alors je fis pipi dans mon pantalon. Je n'avais jamais autant pleuré. C'était impossible à cacher et tout le monde s'en rendit compte.

Un enfant éclata de rire et courut me dénoncer à une institutrice. Par pitié, elle ne me donna pas de fessée. Je sanglotais, je hurlais en me frottant les yeux avec mes poings. Aujourd'hui encore, je sens mes larmes, mon nez couler, mes yeux me brûler et ma salopette mouillée, collée entre mes jambes, qui m'empêchait de marcher.

Une maîtresse, ou plutôt une dame de service, m'avait traîné par la main jusqu'à l'école. Avec une expression de dégoût sur le visage, elle tendait le bras pour m'éloigner d'elle autant que possible. « Tu devrais avoir honte, disait-elle, tu es déjà grand. » J'avais mal au bras. Elle me conduisit jusqu'à la classe de mon frère aîné ; il était en cours préparatoire. Elle le fit sortir et tous les élèves entendirent qu'il devait me raccompagner à la maison car j'avais fait pipi dans mon pantalon.

Mes hurlements redoublèrent, quand mon frère me saisit par la main et m'entraîna. Il était ravi de quitter l'école avant l'heure. Il se moquait de moi. « Les Juifs du travail de Papa vont te voir, me dit-il en ricanant.

Maman va te tuer. » Comme si je ne le savais pas !

Je ne me souviens pas si je vis, ou non, les Juifs ce soir-là, et je ne me rappelle pas avoir été battu par Maman. Elle avait dû se retenir. Je sais seulement qu'après leur départ elle avait ouvert leur cadeau : une boîte de chocolats. Elle s'était exclamée : « C'est tout ce qu'ils ont apporté ! Et dire qu'on prépare ça depuis une semaine ! »

Cinq ans plus tard, j'étais alors en huitième, le professeur d'hébreu était entré dans la classe avec un *ajnabi*[1] blond, grand et beau ; différent de nous en tout cas. Le professeur nous avait traduit son hébreu. L'enfant était invité dans le cadre des *Nitsanei Shalom*[2], programme que nous allions désormais suivre. Nous organiserions des échanges avec des Juifs. Ils viendraient chez nous et nous irions chez eux.

Nous étions ravis de les recevoir. C'était comme des vacances. Les maîtres se comportaient différemment, ils ne nous battaient pas et ils étaient aimables. Les Juifs ont plutôt des institutrices. Tandis que chez nous, quand on avait la chance d'en avoir une, c'était une vieille ! Ils venaient de Kfar Saba.

Le professeur d'hébreu nous affecta à chacun un correspondant juif. Nous étions nombreux

1. « Étranger ».
2. Littéralement : « les Bourgeons de la Paix ». Un des nombreux programmes pédagogiques de rapprochement entre Juifs et Arabes.

dans notre classe, et parfois un Juif devait se partager entre deux Arabes. Moi j'ai eu Nadav Epstein. Il avait été prévu que nous les inviterions chez nous.

Tout le village savait que les Juifs allaient venir. Une semaine avant leur arrivée, chaque élève reçut une lettre demandant à ses parents de se préparer, de leur faire honneur et d'être accueillants. Ma mère prit un congé pour avoir le temps de cuisiner et de ranger la maison. Ce jour-là elle n'avait que deux cours et elle avait pensé à se faire remplacer. Les femmes et les enfants qui n'allaient pas encore à l'école étaient sortis de bonne heure pour attendre les Juifs. Ma mère avait préparé un *sénia* de viande avec de la *tehena*, un *maklouba*, une *meloukhia* de poulet et une salade. Elle avait dressé la table, acheté des fleurs en plastique et elle s'était habillée élégamment.

Nadav m'avait plu. Bien que je connusse mal l'hébreu à cette époque, il m'était apparu très sympathique. J'avais pourtant du mal à comprendre pourquoi il appelait « pita » nos miches de pain. À Tira, « pita » désigne généralement un petit pain, tandis que ce que les Juifs appellent « pita », ici nous l'appelons « gros pain ».

Deux semaines plus tard, nous étions allés chez eux à Kfar Saba. Leur école n'avait rien à voir avec la nôtre. Dans la cour, pendant les récréations, des haut-parleurs diffusaient de la musique. J'avais vu un garçon et une fille s'embrasser et j'avais attendu, en vain, que quelqu'un vînt les battre. En cherchant Nadav, j'avais vite compris qu'ils avaient commis une erreur. Ils avaient à nouveau envoyé à Tira la classe qui était déjà venue chez nous.

On nous avait répartis deux par deux : un Juif et un Arabe, parfois deux. Je me retrouvai avec un inconnu. Je ne lui demandai même pas son nom. Nous avions vite compris que les Juifs ne nous recevraient pas chez eux. Ils avaient préparé à manger à l'école et avaient disposé sur une table des miches de pain *yaoud*[1], des tablettes de chocolat et de la confiture. Je refusai de manger. J'étais blessé. Comment avaient-ils pu m'attribuer un nouveau correspondant ? Sans l'aide de Papa je n'aurais jamais pu prononcer « Epstein » correctement. Les Arabes s'étaient regroupés, les Juifs aussi ; moi, j'étais au bord des larmes mais je m'efforçais de me retenir. Je m'en voulais d'attacher tant d'importance au Juif qui m'échouait. Si encore j'avais pu comprendre ce que disait Nadav. De toute façon tout le monde s'en fichait. Sûrement que lui n'avait pas prêté plus que ça attention à l'erreur. Nos maîtres n'arrêtaient pas de se chuchoter à l'oreille. Persuadés que les Juifs nous auraient invités chez eux, ils venaient de comprendre qu'ils s'étaient fait des illusions. Soudain notre directeur était arrivé en courant, énervé et en sueur, s'efforçant de recoiffer les derniers cheveux qui lui restaient

---

1. « Juives ».

81

sur la tête. Il avait foncé sur moi et il m'avait dit : « Viens, ils se sont trompés de classe. Je te ramène. » Il paraissait exaspéré mais il ne me frappa pas. Il était venu exprès du village pour me chercher. Jamais je n'aurais imaginé monter un jour dans la voiture du directeur. Il me dit que Nadav n'arrêtait pas de pleurer. Il refusait d'aller avec quelqu'un d'autre et ne voulait être qu'avec moi. Il pleurnichait comme un bébé. « Cet enfant a un sérieux problème. Tu dois absolument le calmer », me demanda le directeur. Il avait voulu le raccompagner chez lui, mais le sous-directeur ne trouvait pas convenable de renvoyer chez ses parents un enfant juif en larmes.

J'étais si heureux ! Nadav avait éprouvé les mêmes sentiments que moi. Ce Juif-là m'aimait vraiment.

3. L'inspection

De tous nos professeurs, le plus craint était celui de géographie. Il était très violent. Un jour, bien que Yakoub fût le plus grand de la classe, il l'avait soulevé du sol en le tirant par les oreilles puis, après l'avoir laissé gigoter, il l'avait projeté contre le tableau. *Vlan !*

Nous étions restés pétrifiés. Figés sur place. Puis nous nous étions moqués de lui.

Le professeur d'arabe, elle, avait l'habitude, dès la porte de la classe fermée, de passer entre les tables pour vérifier qui avait fait ses devoirs. Immanquablement, la moitié des élèves étaient pris en faute. Il faut dire qu'ils ne savaient ni lire ni écrire. Elle se déplaçait, une règle métallique à la main, et chaque fautif en recevait un coup sur la tête. Après quoi, il devait quitter sa place et aller se placer contre le tableau.

Une fois l'inspection terminée, le professeur avançait vers les fautifs alignés. Ils savaient ce qui les attendait. Personne n'essayait de s'enfuir ni de se dérober, car celui qui aurait éloigné ses doigts aurait reçu le double de coups. Ils baissaient la tête, fermaient les yeux, serraient les dents et présentaient la main, bras tendu. Il était interdit de la laisser près du corps : le professeur refusait de s'approcher par crainte d'attraper des poux ou d'être incommodé par la puanteur de leurs vêtements. Elle levait sa règle et frappait le dos de chaque main de toutes ses forces ; pour sûr qu'elle en avait, de la force !

Presque tous les professeurs battaient les élèves. Certains avec des tuyaux d'arrosage, d'autres avec des badines en bambou. Les professeurs qui surveillaient, à tour de rôle, les récréations n'oubliaient jamais de se munir du fouet accroché dans leur salle de réunion. Un jour, alors que j'étais en train de faire pipi, le professeur de biologie m'en avait flanqué un coup sur le dos. Il avait fait irruption dans les toilettes, comme d'habitude répugnantes, et s'était mis à fouetter tous ceux qui étaient là. « Des bestiaux ! Bande de porcs ! » hurlait-il. Les reins me brûlaient ; mais, finalement, ce n'était pas si terrible.

J'écopais de moins de coups que les autres. Moins même que les filles. J'apprenais toujours mes leçons. Je ne faisais jamais de bruit en classe. Je ne parlais à personne. Pendant les récréations, je restais assis, les bras croisés sur ma table. Certains professeurs étaient des adeptes de la responsabilité collective : si pendant les récréations il y avait trop de bruit dans une classe, tous les présents étaient punis. Tous à l'exception des enfants des professeurs de l'école, dispensés, eux, de punition.

Le plus terrorisant, c'était l'inspection. L'infirmière poussait la porte de la classe au beau milieu d'un cours. Ceux qui étaient prévenus sortaient leur mouchoir, l'étalaient sur la table et posaient leurs mains dessus. Le cancre qui n'avait qu'un mouchoir souillé ou pas de mouchoir du tout était battu. Les mains sales ou les ongles longs valaient le renvoi immédiat à la maison. Moi, je présentais toujours un mouchoir propre. À dire vrai, j'en possédais deux : un propre pour l'inspection et un autre pour me moucher.

L'infirmière choisissait au hasard plusieurs élèves et à l'aide de deux fines baguettes, elle cherchait les poux. Elle en trouvait toujours. Alors elle se mettait à crier et à frapper, et le professeur lui prêtait main-forte. *J'ai des poux*, écrivaient-ils sur une étiquette qu'ils collaient sur le front des enfants avant de les renvoyer chez eux. « Ta mère n'a qu'à vérifier ce qu'elle laisse sortir de chez elle », disait invariablement l'infirmière. Jamais on ne me trouva de poux. À l'école, chacun éprouvait un plaisir évident à frapper les élèves. Même le gardien. À la fin de la journée il désignait trois élèves. Deux devaient porter la poubelle en plastique noire pendant que le troisième devait ramasser les restes de sandwiches ainsi que les papiers et les cannettes abandonnés dans la cour. Gare à eux si elle n'était pas impeccable ! J'en avais une fois fait l'expérience. Un de mes camarades qui portait la poubelle avait dit au gardien que j'avais oublié des détritus. Il m'avait flanqué une gifle, une seule, car il était notre voisin et connaissait Papa.

Un jour, le professeur de musique m'asséna deux coups de règle en bois sur le dos de la main parce que je n'avais pas reconnu l'air qu'il avait joué à l'*oud*. Une autre fois parce que la poubelle de la classe dont j'étais chargé était sale. J'eus aussi le dos fouetté par le sous-directeur le jour de la fête de l'Indépendance parce que j'avais eu peur de monter sur le toit de la salle des professeurs pour planter notre drapeau dans un tonneau de sable.

Seul le professeur de sciences naturelles ne battait jamais les élèves. C'était un homme très bien. Il est mort d'une crise cardiaque il n'y a pas longtemps. C'était le seul à venir à l'école en costume-cravate et à posséder une voiture : une Subaru bleue. Il la garait à l'écart des tracteurs des autres professeurs, qui dès la fin de la classe filaient vers leurs champs de fraises. Nous la lavions pendant ses cours. Nous aimions sa voiture et il était toujours content. Quand nous avions terminé il nous lançait un ballon. Nous adorions jouer au football.

4. Mon seul ami à Tira hospitalisé

Un jour, le seul ami que j'avais à Tira fut hospitalisé. Nous étions en quatrième. Il était le seul à avoir bien voulu s'installer à côté de moi sans que le professeur le lui ait demandé. Ce matin-là il n'était pas venu à l'école. En rentrant chez moi j'avais frappé à sa porte mais personne ne m'avait répondu. Son oncle, l'épicier du quartier, m'avait dit qu'il était malade ; il avait eu mal à la tête et on avait dû le conduire à l'hôpital de Ramataïm. Mes parents s'étaient habillés pour aller lui rendre visite. Maman avait acheté un sac de bonbons qu'elle avait enveloppé dans du papier-cadeau.

C'était la première fois que j'allais à Ramataïm et la première fois aussi que je franchissais le seuil d'un hôpital. Dans le hall immense, deux imposantes portes s'ouvraient au moyen d'un code que seuls les médecins connaissaient. Les parents de mon ami semblaient plus tristes que d'ordinaire. Il était leur fils unique. Papa a dit qu'avec un cul pareil – il parlait de la mère – il ne comprenait pas qu'il n'y eût pas d'autre enfant.

Moi seul fus autorisé à entrer dans la chambre. Mon ami me semblait normal. Il me dit qu'il avait souvent mal à la tête et qu'il entendait des choses bizarres. Je fis comme si de rien n'était. Il paraissait aller bien ; il n'avait pas de fièvre. Dans la chambre, sur le second lit, un enfant faisait semblant de tirer à la mitraillette avec un balai. Il était un peu plus âgé que nous et il aimait jouer à la guerre. Mon ami me dit qu'il s'amusait un peu avec lui. Il n'arrêtait pas de dire : « Il est irakien, irakien. »

Ses parents lui avaient offert un jeu vidéo de course automobile que je connaissais déjà. Jamais mes parents n'auraient pu m'en acheter un aussi cher. Je l'enviais. Mon ami ne savait pas ce qu'était une glace à l'eau ; il ne connaissait que les cônes géants au chocolat ou les glaces américaines. Il possédait un vélo, de beaux vêtements, une montre avec calculatrice et une console vidéo. Maman disait que c'était parce qu'il était fils unique et qu'elle en tout cas n'avait pas les moyens de nous acheter tout ça, que nous étions quatre.

Il était le seul de mes amis à ne pas agacer Maman quand il venait à la maison. Elle prétendait que les autres parents envoyaient leurs enfants chez nous uniquement pour s'en débarrasser et elle ne voulait pas que je les invite ; mais avec lui, elle était toujours gentille ; elle lui proposait souvent de rester manger chez nous. La plupart du temps, il refusait.

Papa disait tout le temps qu'il ne comprenait pas pourquoi les parents de mon ami ne faisaient pas d'autres enfants. Ils étaient pourtant très aisés. Et s'il arrivait un malheur à celui-là ? Le père était propriétaire d'un gros tracteur avec une cabine vitrée et l'air conditionné. Papa disait qu'il labourait tous les champs de Telmond, du matin au soir, qu'il ne refusait jamais une offre. Ils avaient acheté une nouvelle voiture, toujours garée et recouverte d'une bâche blanche devant l'entrée de leur maison. Ils ne s'en servaient presque jamais. « Du décorum ! » disait Papa. Le père n'utilisait que son tracteur, il ne se promenait jamais, même pas les vendredis et les samedis – jours où il ne travaillait pas chez les Juifs – car il allait labourer les champs de Tira.

Soudain, en plein milieu du jeu, mon ami était devenu fou. « Non ! Non ! » hurlait-il. Les infirmiers s'étaient précipités ; ils m'avaient fait sortir de la chambre avant d'attacher mon ami sur son lit. C'était terrible. Je n'avais jamais vu une chose pareille. J'avais demandé à mes parents ce qui s'était passé. Ils m'avaient seulement répondu que nous devions rentrer à la maison.

Nous n'échangeâmes pas un mot pendant tout le trajet du retour à Tira. Papa conduisait. Maman était assise à côté de lui, et moi, comme toujours, à l'arrière. À cette époque mes parents ne me laissaient plus aller dormir avec Grand-mère, mais cette nuit-là, ils n'avaient rien dit quand je m'étais faufilé dans son lit. Ils lui avaient relaté ce qui s'était passé à l'hôpital. Elle m'avait dit en me serrant dans ses bras : « Ils n'auraient pas dû t'emmener.

Ne pleure pas ! Le bon Dieu va le guérir et il retournera à l'école. Tu verras... Dors, mon chéri, ne t'inquiète pas ! »

5. Parlement

Les jours étaient florissants : au cours de ma dernière année à l'école primaire la route avait été pavée jusqu'à Tira et le village raccordé au téléphone. L'équipe de football était passée en division supérieure, une piscine avait été construite et quelqu'un de Taibeh était venu raccorder toutes les maisons du village au câble.

Pourtant, tout le monde regardait la chaîne locale. Les gens aimaient voir à l'écran des têtes connues, comme dans les spots publicitaires du centre commercial diffusés entre les films indiens et égyptiens.

Cette année-là, pendant le ramadan, qui était tombé en plein été, un grand concours d'énigmes doté de prix avait été organisé sur le câble ; tous les habitants pouvaient participer. En deux jours le jeu s'était transformé en véritable combat pour l'honneur ; toutes les familles du village étaient devenues rivales. Certaines se réunissaient chaque jour pour comptabiliser les bonnes réponses de leur camp et préparer les épreuves du lendemain. La date des élections approchait et la lutte entre les familles était à son comble. Chacune tentait de renforcer son assise dans le village par l'intermédiaire du concours. Notre famille était certes l'une des plus anciennes, mais nous étions peu nombreux, et Papa savait parfaitement que nous n'avions aucune chance. Quand le concours prit fin, il savait enfin pour qui il allait voter.

Il ne manquait jamais une épreuve. Au début les questions étaient très faciles, du genre : « Quand le prophète Mahomet est-il né ? » Papa mimait avec ses lèvres les mots prononcés par le présentateur ; il répondait aussitôt mais il n'était pas question pour lui de téléphoner ni de participer à ces jeux idiots pour abrutis. En vérité, Papa était peu sûr de lui ; il attendait toujours que sa réponse soit confirmée par l'animateur lors d'un appel d'un autre auditeur.

Un jour la chaîne décida de corser les difficultés. Nous étions en plein milieu du ramadan et la compétition avait gagné tout le village. Les gens ne parlaient plus que du concours. Certains, qui prétendaient que l'animateur ne prenait que les appels de ses proches, réclamaient la constitution d'une commission composée de toutes les familles du village pour superviser les épreuves.

C'est alors que, à l'initiative du directeur de l'école, le père du présentateur, fut proposée l'énigme décisive. Les familles les plus représentatives décidèrent d'envoyer des émissaires, des gros bras, pour qu'ils suivent les choses de près. Ces manifestations de force allèrent en s'amplifiant et leur nombre s'accrut à tel point qu'il devint difficile de voir et même d'entendre le présentateur poser ses questions.

On assista à des pugilats en direct, à des échauffourées, et on entendit même incidemment quelques bordées d'injures. Conscients que cela ne pouvait durer, les directeurs du câble décidèrent de retransmettre le concours depuis le terrain de football. Seules les équipes participantes (censées téléphoner) regardaient l'émission de chez elles, tandis que les gens affluaient de toutes parts pour s'installer sur le terrain sans même avoir eu le temps de digérer le repas de fin de jeûne avalé à la hâte.

Papa n'avait pas participé au concours. Il avait étudié dans la même classe que le directeur de l'école et il ne manquait pas de nous dire combien celui-ci était nul, qu'il avait reçu une formation au rabais, alors que lui, évidemment, obtenait toujours les meilleures notes ; et que s'il avait eu suffisamment d'argent pour finir ses études universitaires il aurait été médecin depuis belle lurette.

Le jour de l'ultime énigme il fut annoncé que la compétition se déroulerait au stade. Quand Papa entendit que le directeur en personne, son ancien camarade de classe, l'avait lui-même rédigée, il fut stupéfait, comme paralysé ; puis il s'avança d'un pas lourd vers l'écran. « Silence ! Donnez-moi un stylo ! » ordonna-t-il. Le présentateur répéta les données de l'énigme ; Papa l'écrivit sur sa main : *Vient des États de l'Oncle Sam. Bleu comme le ciel. Ne cause que des ennuis. Peut*

commencer par deux lettres différentes. Abd Al Wahab en est. On approchait de la bataille rangée. Bien que modeste, notre famille avait acquis une certaine respectabilité. Papa recopia scrupuleusement chaque mot sur un cahier. « Quelqu'un a-t-il trouvé ? » s'inquiéta-t-il. « Pas encore, Papa. »
Le temps passait et aucune solution ne se profilait à l'horizon. Papa s'énervait. Il disait que l'énigme était idiote et qu'il était décidément incapable de s'abaisser au niveau de tous ces débiles. L'émission se prolongea jusqu'au repas avant la reprise du jeûne. Il devait être près de cinq heures du matin. Papa, occupé qu'il était à trouver la solution, n'était pas allé se coucher. Ce jour-là personne ne trouva la solution ; le lendemain il commençait à penser que le directeur avait volontairement imaginé une énigme sans réponse. Ne représentait-il pas sa propre famille pour les élections municipales ? Sûr qu'il mettrait tout en œuvre pour faire échouer les autres candidats !
Au matin, Papa téléphona à l'entrepôt d'emballage de Kalmania pour demander un congé jusqu'à l'*Id Al Fitr*, qui coïncide avec la fin de la compétition. Puis il s'installa avec toutes les encyclopédies disponibles à la maison et il se mit à chercher. Il vérifia tous les liens – si éloignés fussent-ils – susceptibles d'exister entre chaque terme. Des bruits couraient que la solution avait été donnée. Il y avait des dizaines d'appels, autant de propositions mais jamais la bonne. Papa se mit alors

à imaginer des interprétations religieuses. Il lui arrivait, pensant avoir trouvé quelque chose, de nous crier la réponse pour qu'on lui en attribue le mérite, à lui aussi, au cas où quelqu'un passant à l'antenne aurait eu la même idée que lui.

Quelques jours passèrent pendant lesquels Papa raya de sa liste toutes les solutions qui lui étaient venues mais qui avaient déjà été soumises. Puis il entreprit de vérifier celles qui restaient. Pour rien au monde il n'aurait téléphoné ; il n'avait pas suffisamment confiance en lui. Il décida d'aller voir le directeur de la chaîne pour lui demander si l'une de ses propositions était correcte. Si oui, il renoncerait au prix et s'abstiendrait de téléphoner jusqu'à la fin de la compétition. Lorsque Papa revint, nous comprîmes qu'il avait échoué.

Deux jours avant l'*Id Al Fitr*, la solution n'avait toujours pas été trouvée. Dans le stade, les chefs de famille commencèrent à organiser la remise du grand prix.

Ce soir-là, Papa était resté dans sa chambre. Moi, j'étais installé sur le canapé. Peu avant le début de l'émission, il fit irruption dans le salon, les yeux embués de fatigue. Il me dit : « Je n'ai plus de cigarettes, va m'en acheter. » Sur le chemin du retour je regardais le paquet. Des Parlement. Les préférées de Papa. Il était écrit : *American Blue* sur un fond de ciel. Soudain tout devint clair. En entrant, je lui dis : « C'est Parlement, Papa. Je pense que la réponse est Parlement. » Papa me regarda, me fit asseoir et se mit près de moi sur le canapé. Il venait de comprendre que c'était la bonne réponse. Le directeur de l'école et lui avaient l'habitude de fumer des Parlement. Je lui dis : « *Parlement* est une cigarette américaine, le paquet est bleu comme le ciel, les cigarettes ne causent que des ennuis, la première lettre de Parlement peut être prononcée phonétiquement comme un *pé* ou un *beit*[1], et Abd Al Wahab Darawshah est membre de la Knesset, autrement dit du Parlement. »

Sans un mot, Papa bondit vers le téléphone et composa le numéro. À la télévision, le directeur était assis sur un canapé bleu, à côté du présentateur, au milieu de la scène, devant les hommes chargés de recevoir les appels. La ligne était occupée. Après s'être énervé à recomposer pour la énième fois le numéro, Papa se précipita au stade. Il devait livrer la réponse avant que le directeur ne la dévoile.

Moins d'un quart d'heure plus tard, je pouvais le voir à l'écran ; il cherchait à forcer la barrière des gros bras qui empêchaient l'accès à la scène. Le caméraman s'approcha de lui et je pus entendre sa voix : « J'ai la réponse. » Le directeur de l'école l'entendit également. Je le vis se lever de sa place d'honneur et s'approcher de son fils pour lui demander de faire passer Papa à l'antenne. « Je veux que tout le village sache qu'il n'est pas parvenu à trouver la solution. » Le

---

1. Le son *pé* n'existe pas en arabe.

directeur de la chaîne câblée lui avait probablement fait part des vaines tentatives de
Papa. Le présentateur fit un signe à un des
sbires ; Papa escalada l'estrade, tout essoufflé,
il s'empara du micro et se dirigea vers le
directeur pour lui lancer droit dans les yeux :
« Parlement. » « Exact ! » s'écria aussitôt le
fils du directeur qui se leva de son siège pour
arracher le micro des mains de Papa et
ajouter : « C'est insuffisant. Il faut expliquer
pourquoi. » Papa reprit le micro. La victoire
était acquise. Il se tourna vers la caméra.
« Les cigarettes *Parlement* viennent du pays
de l'Oncle Sam ; les cigarettes ne causent que
des ennuis ; le paquet est bleu comme le ciel ;
la première lettre de Parlement peut se prononcer comme un *pé* ou un *beit* ; et Abd Al
Wahab Darawshah est membre du Parlement. » La foule exulta. Inutile d'en dire
davantage. Les gens applaudissaient à tout
rompre. Jusqu'au fils du directeur qui semblait content de cette réponse connue seulement de lui et son père. Il chauffait
l'assistance. Il dit à Papa : « Bravo ! vous avez
gagné cinq kilos de vianche hachée à la Bou-
cherie du Cercle. » Papa et le directeur hale-
taient et ne se quittaient pas des yeux. Les
applaudissements redoublaient. La foule était
heureuse de voir qu'un membre d'une
modeste famille avait pu résoudre l'énigme.
Papa, le micro encore à la main, regardait le
directeur vaincu. La caméra fit un gros plan
sur lui ; il leva à nouveau le bras avec le

sourire des vainqueurs et s'exclama : « C'est mon fils ! C'est mon fils qui a trouvé la solution ! »

6. Les derniers jours

C'étaient les derniers jours de troisième. Chaque matin j'étais très fier de partir à l'école. Maintenant, les gens me regardaient, mais je ne répondais pas à leurs regards ; je ne détournais pas non plus la tête. Je faisais mine de penser à autre chose, d'être concentré, par exemple, sur un problème de physique. À l'école on ne s'adressait plus à moi de la même façon. Jusqu'alors, Papa n'ayant pas de relations, j'étais dans la classe la plus faible de la section. J'étais pourtant le meilleur, dans une classe où la moitié des élèves ne savaient pas lire. Quelques jours après l'*Id Al Fitr*, le directeur en personne était venu à la maison. Il m'avait serré la main et avait demandé à parler à Papa. Il lui avait dit que les Juifs allaient ouvrir une nouvelle école destinée aux élèves doués et qu'ils voulaient faire passer des tests à des écoliers arabes. Il dit que la liste des écoliers de Tira avait déjà été transmise, mais qu'après mon succès, il avait réussi à convaincre les Juifs de me permettre de m'y présenter. J'avais une chance, avait-il poursuivi, mais il ne fallait pas que je sois déçu si je n'étais pas admis car seulement un élève sur mille l'était. Il avait ajouté : « Les tests sont difficiles. »

La salle d'examen de Givat Ram, à Jérusalem, était remplie d'écoliers arabes venus de tout le pays. Rien que de Tira, il était parti un autobus entier. Les parents les plus riches avaient accompagné leurs enfants en voiture. Ils paraissaient intelligents. J'étais découragé.

Une semaine plus tard, tous les élèves de l'école avaient déjà reçu une lettre leur annonçant que, malheureusement, ils avaient échoué à l'examen. À moi, ils n'avaient rien envoyé. J'en avais conclu que j'avais été trop mauvais pour que l'on se donnât la peine de m'écrire. Il devait leur sembler évident que je comprendrais seul mon échec.

Lorsque Papa apprit que tout le monde avait eu une réponse sauf moi, il chercha rageusement à se procurer leur numéro de téléphone. Il alla voir mon directeur, appela l'inspecteur régional ; personne ne savait comment contacter cette école. Papa avait le sentiment que l'on s'était moqué de nous, que cette école n'avait jamais existé, que ce n'était qu'un prétexte de l'État d'Israël pour évaluer le niveau de l'enseignement arabe.

Mais quelques jours plus tard – c'était un vendredi –, alors que Papa, mes trois frères et moi travaillions dans la plantation d'oliviers derrière la maison, Maman avait crié de la fenêtre de la cuisine qu'il y avait quelqu'un au téléphone, et qu'il parlait en hébreu. Papa avait lâché son seau rempli d'olives et s'était précipité à la maison. Il courait et je peinais à le suivre. Il en avait oublié de se déchausser et le tapis avait été maculé de boue. Quand je suis arrivé, il venait de raccrocher. « Super ! » s'était-il écrié en se frappant la paume gauche du poing droit. Il m'avait dit, fou de joie, en me serrant dans ses bras : « Tu es reçu ! » Le lendemain matin, pendant que nous étions en rang pour la gymnastique, le directeur m'avait félicité et avait obligé tous les élèves à m'applaudir. Maintenant, tout le monde était au courant de mon admission. Désormais, peut-être Rim allait-elle m'aimer comme je l'aimais.

Elle devait savoir qui j'étais. Je ne lui avais jamais parlé ; je n'avais fait que la guetter, la suivre, sachant quand elle était en récréation, à quelle heure elle terminait ses cours et combien de temps il lui fallait pour sortir de classe. Je traînais pour l'attendre. Depuis deux ans j'essayais de la suivre jusque chez elle, de loin, pour que personne ne le remarque ; mais d'assez près, toutefois, pour qu'elle s'en aperçoive. À présent, elle était au courant, tout le monde en parlait. Peut-être allait-elle même venir avec ses parents à la fête que Papa organiserait pour célébrer mon succès. On m'avait déjà acheté des vêtements. Elle allait être impressionnée. J'avais même pensé à me raser un peu la moustache mais j'avais eu peur qu'elle ne repoussât encore plus noire. Et d'ailleurs, seuls les cancres se rasaient à mon âge.

Mes parents et les siens s'étaient rencontrés au cours d'une excursion en car en Égypte. Ils étaient dans le même groupe ; ils avaient sympathisé, s'étaient pris en photo, et depuis, se revoyaient de temps en temps. J'avais commencé à m'intéresser à Rim après avoir vu une photographie d'elle devant les pyramides. Belle, la tête penchée, les cheveux longs et noirs et le regard vif. Je ne savais que son prénom et qu'elle était en quatrième. J'avais vu ses parents lorsqu'ils étaient venus nous rendre visite. Maintenant le moment était venu. Il fallait que je lui parle. J'en avais le droit, j'étais intelligent et j'allais partir d'ici. Quand elle viendra, pensais-je, je lui demanderai de m'attendre. Elle sait sûrement que je l'aime ; elle m'a vu la suivre. Je lui promettrai de toujours penser à elle, de revenir à la fin de mes études. Alors, nous nous marierons et serons heureux. Lorsqu'elle saura ce que j'ai fait pour elle ces deux dernières années, quand elle verra sa photo dans mon cartable, quand elle comprendra que je connais son emploi du temps par cœur, elle acceptera certainement d'attendre.

Je marchais derrière elle avec fierté, conscient que l'on m'observait, que l'on m'admirait. Qui aurait osé se moquer de moi, de ma moustache, de mon cartable ?... Chacun aurait compris que ce n'était que par jalousie, une réaction de mauvais perdant. Il y avait du vent. Son pantalon à fleurs se gonflait un peu. Soudain, il se colla contre ses cuisses. Je baissai les yeux. C'était le dernier jour de classe. Il fallait qu'elle sache.

7. Les mangues

« Aujourd'hui, c'est toi le héros de la fête », m'avait dit Papa en sortant pour accueillir les invités. Je me tenais près de lui, la chemise blanche boutonnée jusqu'au cou et le pantalon impeccable, une moustache naissante et les cheveux encore humides. Toutes mes tantes étaient là avec leurs enfants et leurs familles.

Les amis de travail de Papa, arrivés les premiers, me serrèrent la main et me félicitèrent. Ils avaient apporté des cadeaux ; pour la plupart de banals stylos Parker. Ils me souhaitaient de devenir scientifique dans l'aérospatiale et me promettaient que je fabriquerais la première bombe atomique arabe. Puis les parents de Rim arrivèrent, eux aussi avec un cadeau. Ils me serrèrent également la main. Elle est sûrement en retard, me dis-je, elle ne peut pas ne pas venir aujourd'hui.

Les adultes buvaient du café, mangeaient en riant des *kenafe* et de la mangue. Mes frères jouaient à cache-cache dans la cour avec mes cousins. Ils m'invitèrent à me joindre à eux et j'allai m'asseoir sur le muret qui sépare la maison de la rue.

J'avais envie de monter me coucher. Les invités étaient sur le point de partir ; Maman commençait à nettoyer la cour. Mes frères étaient déjà rentrés. Papa sortit et me demanda d'aller fermer le robinet dans la plantation de mangues derrière la maison. L'endroit était sombre et me faisait très peur.

Papa insista, ne comprenant pas ce que je craignais. Il s'énerva et me gifla ; je me mis à pleurer et partis fermer le robinet. Lorsque je rentrai à la maison, Grand-mère était en train de sermonner Papa. Maman, qui faisait la vaisselle, me conseilla d'aller lui demander pardon. J'entrai dans la chambre. Mon petit frère dormait déjà dans son lit. Je me glissai tout habillé dans le mien, à côté ; je m'enfouis sous la couverture et je laissai couler mes larmes.

Grand-mère entra en marmonnant quelque chose. Elle voulut soulever mon drap mais je l'en empêchai. Elle se mit à hurler après Papa : « Tu vas tuer cet enfant. Viens voir comme il tremble. Tu n'as pas de cœur. »

Grand-mère posa la main sur mon ventre pour me consoler. Elle pleurait. Elle me dit : « C'est une bonne chose que tu partes. Dieu merci, tout cela est bientôt fini. »

Troisième partie

Je voulais être juif

1. La pire semaine de ma vie

Je fais plus israélien que le commun des Israéliens et rien ne me fait plus plaisir que de l'entendre de la bouche d'un Juif. On me dit souvent : « Vous n'avez vraiment pas l'air arabe. » Certains prétendent que c'est du racisme, mais pour moi, c'est un compliment. Comme une victoire. Être juif : n'est-ce pas ce que je voulais ? Après beaucoup d'efforts, le résultat est là.

Une seule fois, je me suis fait avoir. Cela est arrivé à la fin de ma première semaine au lycée ; j'étais interne. Alors que je quittais Jérusalem pour rentrer chez moi, un soldat était monté dans l'autobus et m'avait ordonné de descendre. Jamais je ne m'étais à ce point senti humilié. J'avais tant pleuré !

Parfois, avant de m'endormir, je sens à nouveau l'odeur de l'internat. Cette odeur si familière et si propre au lieu revient souvent m'agresser et envahir mes sens. L'odeur d'un autre monde ; celle des bâtiments, des meubles, des tapis et de ces gens qui m'étaient si étrangers. À chaque fois la même détresse. J'y ai vécu trois années sans jamais m'habituer.

Ma première semaine fut la pire de ma vie. Chaque jour j'avais une bonne raison de pleurer à chaudes larmes. J'avais déjà sangloté quand j'avais dû me séparer de Grand-mère. Elle m'avait dit en m'embrassant : « Ne parle surtout pas de politique. »

Papa m'avait accompagné jusqu'au palais de la Nation. La montée des routes tortueuses jusqu'à Jérusalem m'avait effrayé. Pourvu que Papa puisse rentrer sans problèmes, me disais-je. Il pleuvait à verse et une file interminable de voitures roulait au ralenti en gravissant le mont. Je priais en moi-même pour qu'on arrive en retard à l'école et qu'on soit forcé de revenir à la maison.

Des adultes étaient assis derrière des tables. Ils nous avaient remis des badges nominatifs que nous devions accrocher sur la poitrine. Mon nom était mal orthographié. Ils nous avaient donné aussi une enveloppe ; elle contenait une fiche indiquant le numéro de notre chambre et la couleur du bâtiment. J'avais eu du mal à trouver. Mes trois compagnons de chambre m'avaient précédé et ils m'avaient laissé le lit le plus éloigné de la fenêtre, celui derrière la porte. Ils m'avaient salué, l'un d'entre eux m'avait serré la main en m'appelant par le nom inscrit sur mon badge mais je ne l'avais pas corrigé.

Durant toute cette semaine, j'avais oublié systématiquement de prendre mon plateau au réfectoire ; je ne savais me servir ni d'un couteau ni d'une fourchette et j'ignorais que les Juifs mettaient la sauce sur le riz plutôt que dans un bol à part. J'avais fondu en larmes lorsque mes camarades s'étaient moqués de moi en découvrant que je ne savais pas qui étaient les Beatles. Quand ils raillaient ma prononciation, je les menaçais d'aller le dire au directeur, que j'appelais Bini, au lieu de Pini. « Qui ça ?! » me demandaient-ils, et je répétais comme un imbécile « Bini ». Ils riaient des draps roses que Maman m'avait achetés. Et aussi de mon pantalon. Au début, je croyais qu'ils voulaient vraiment savoir où l'on pouvait en acheter de semblables. Ils s'esclaffaient : « Nous ne savions pas que les Arabes portaient des pantalons spéciaux ! » Après un cours d'anglais, un élève avait dit que j'avais le même accent qu'Arafat dans la cassette de *Haflat 'Aden*. Un autre trouvait que je ressemblais au joueur de *qanoun* aveugle qui passait à la télévision. Pendant toute cette première semaine, on s'était adressé à moi en reprenant les phrases stéréotypées des cours d'initiation à l'arabe de la télévision éducative. Cette semaine-là aussi, je fis la connaissance d'Adel. Un Arabe qui était dans la section au-dessus de la mienne. Je l'avais remarqué dans le réfectoire. Assis à une table de filles, il mangeait son poulet avec les doigts. Pour rien au monde je n'aurais voulu lui ressembler mais sa présence m'avait donné du courage. Je n'eus aucun mal à convaincre un de ses compagnons d'échanger son lit avec moi. Deux jours plus tard, nous partagions la même chambre.

Adel, lui, trouvait mes draps très beaux. Il était originaire d'un village de haute Galilée. À quatre heures de route. La télévision israélienne, qui était venue faire un reportage au lycée sur la capacité des Juifs et des Arabes de vivre ensemble, l'avait filmé en train de dribbler. Dans le reportage Pini disait : « Il fait honneur à tout son village. » Adel avait été flatté. Il n'avait pas besoin de beaucoup travailler pour être un bon élève. Il n'avait pas peur de participer pendant les cours.

On m'avait donné à lire en six jours plus de pages en hébreu que je n'en avais lu, à Tira, jusqu'à la fin de la troisième. J'étais si découragé que je n'avais rien fait. Dans notre classe, chacun de nous avait dû subir un contrôle de physique. Adel avait eu dix ; moi, je n'avais pas réussi à répondre à une seule question.

Une semaine m'avait suffi. Il était clair que j'allais rentrer définitivement à la maison. Quand je raconterai à mes parents ce que j'ai enduré à l'internat, jamais ils ne me laisseront y retourner, me disais-je. Ils me comprendront et me croiront lorsque je leur aurai dit pourquoi la vie est impossible dans ce monde qui n'est pas le nôtre. Je leur raconterai à quel point j'étais mal à l'aise pendant le repas de Rosh ha-Shana, quand tout le monde chantait, sauf moi. Je leur dirai que je pleurais chaque soir avant de m'endormir et que je craignais sans cesse qu'il ne leur arrive quelque chose. J'avais peur que Grand-mère meure, que Papa ait un accident de voiture. Je leur parlerai des voyous avec des anneaux aux oreilles et des filles en shorts de l'internat. Je leur confierai que ce fut la pire semaine de ma vie et ils me garderont à la maison.

2. Polanski

Pour les vacances de Rosh ha-Shana j'avais rapporté avec moi toutes mes affaires de l'internat. C'était la première fois que je prenais l'autobus seul ; si je n'avais pas observé les élèves devant moi je n'aurais jamais su qu'il fallait d'abord acheter son billet au chauffeur.
Adel et moi étions installés sur une banquette à quatre places. Il m'avait assuré que des filles de l'internat viendraient s'asseoir en face de nous ; il avait eu tort. Tous les élèves s'étaient assis à l'avant et bavardaient bruyamment.
J'étais mort d'inquiétude. Peur de rater une station. Peur de louper la maison et de me retrouver perdu. Papa m'avait pourtant tout écrit dans un cahier : *Prendre l'autobus jusqu'à la gare centrale et descendre au ter-minus.* Puis : *Ligne 947, omnibus pour Haïfa, descendre à la station de Kfar Saba. Aller jusqu'à l'hôpital Meir. De là, prendre un taxi*

collectif jusqu'à Tira. Adel, lui, devait se rendre au village de Nahaf, ce qui est encore une autre aventure. Il faut aller jusqu'à Haïfa, puis prendre un autobus pour Karmiel, et là, attendre plusieurs heures celui qui dessert son village. Mais il préférait marcher à partir de Karmiel. Il m'avait dit : « Ce n'est pas si loin, une demi-heure à pied. »

Adel n'avait pas envie de rentrer chez lui. Il était triste. La semaine avait été trop courte. Il était allé voir Pini pour lui demander de rester à l'internat pendant les fêtes mais c'était impossible. Je l'avais invité à Tira et il avait accepté. Moi, j'étais content que quelqu'un puisse m'aider à trouver mon chemin, et lui l'était tout autant à l'idée d'économiser du temps et de l'argent. Il s'était inquiété de savoir si nous avions de jolies voisines.

L'autobus partit de l'internat et s'arrêta quelques minutes plus tard devant le lycée professionnel Polanski. Les élèves ne ressemblaient en rien à ceux de l'internat ; quant à Adel et moi, nous avions vraiment l'air différents des autres. L'autobus était à présent rempli de lycéens criant et jurant et de filles à talons hauts avec de grandes boucles d'oreilles. Certaines se maquillaient. Sur la banquette en face s'étaient serrés trois élèves. Deux autres à côté d'eux se tenaient aux barres verticales. J'étouffais, j'étais au bord de l'évanouissement. Je dis à Adel que j'avais l'intention de descendre à la station suivante.

« Ne sois pas stupide, me répondit-il, je n'ai pas envie d'avoir à payer un autre ticket. »

Je regrettais de l'avoir invité, d'avoir fait sa connaissance et d'être parti avec lui. Les choses allaient mal tourner, j'en étais certain. Mes pressentiments devaient se vérifier quelques secondes plus tard. Un des lycéens assis face à nous demanda à Adel d'où il venait. « De Nahaf », lui répondit-il.

Les élèves éclatèrent de rire puis ils s'adressèrent à moi : « Et toi ? » Je leur fis un large sourire, tâchant d'être le plus aimable du monde. Je ne risquais rien, j'avais fait partie des *Nitsanei Shalom*, j'avais des amis juifs, ils devaient me laisser tranquille. Je leur dis : « De Tira, c'est près de Kfar Saba. » Je m'efforçais toujours de faire bonne figure, malgré les rires moqueurs. « Viens, descendons, je paierai pour toi », chuchotai-je à Adel qui refusait obstinément. Mais il n'était pas question pour moi de rester dans cet autobus.

Les lycéens devant nous ricanaient tout en se poussant du coude, ils s'amusaient à répéter les noms de nos villages en les déformant. Nous ne réagissions pas. Participer à leur fou rire eût été stupide, alors je me taisais. Puis ils se mirent à chanter un refrain qui m'était familier mais en changeant les paroles : « Un Juif est mort » devenait « Mohamed est mort ». Ils braillaient à tue-tête, rejoints par d'autres camarades. Je décidai d'appuyer sur le bouton « arrêt ». Je me dis : Qu'Adel aille au diable ! je descends. Et je pris mon sac en retenant mes larmes.

Adel s'était finalement décidé à me suivre. Je ne m'en rendis compte qu'une fois sur le trottoir. Un des lycéens ouvrit la fenêtre et cracha vers nous, sans nous atteindre.

Adel se mit à m'engueuler : « Tu es complètement fou ! Est-ce que tu sais au moins où on est ? Quel autobus devons-nous prendre maintenant ? Et qui te dit que dans le prochain il ne se produira pas la même chose ? » Peu m'importait d'être perdu. J'étais si content que cela fût fini. Nous pûmes nous rendre à la gare centrale en taxi, Papa m'avait donné suffisamment d'argent. Je priais seulement pour que les lycéens de Polanski n'aient pas l'idée de prendre le même bus que nous pour Kfar Saba.

3. Ben-Gourion

Les explications de Papa ne mentionnaient pas la station Ben-Gourion. Mon salaud de père m'avait trompé. Je le haïssais. Lorsque l'autobus s'arrêta, j'étais persuadé que nous étions déjà arrivés à Kfar Saba ; en réalité c'était le barrage installé à l'entrée de l'aéroport.

Un soldat monta dans l'autobus et nous demanda, à Adel et moi, de descendre. Une fois dehors il réclama nos cartes d'identité. « Nous sommes mineurs », rétorqua Adel, qui répondit à toutes ses questions : d'où nous venions, où nous allions et où nous faisions nos études. Le soldat nous fit ouvrir nos sacs, laissant l'autobus entrer sans nous dans l'aéroport. Il fouilla entre les livres, les draps et les vêtements et nous ordonna d'attendre jusqu'à ce que le bus nous reprenne à la sortie de l'aéroport.

Je décidai que plus jamais je ne monterais dans un autobus. Je ne supportais pas d'être traité comme n'importe quoi. C'en était trop, j'étais à bout. J'avais réussi à me contenir devant mes compagnons de chambre, au réfectoire, avec les lycéens de Polanski, mais là je ne pouvais plus. Je me mis à sangloter, poussant des cris comme un môme, ce qui mit le soldat mal à l'aise. Il m'expliqua que c'était comme ça pour tout le monde avant de m'apporter un verre d'eau. « Qu'est-ce qu'il y a ? » s'inquiéta-t-il. Je refusai de boire et je téléphonai à Papa à la maison. J'avais du mal à parler.

Papa criait : « Calme-toi ! Qu'est-ce qui se passe ? » Il semblait nerveux. « Viens tout de suite me chercher », hurlai-je afin qu'il comprenne que je ne me sentais pas capable de revenir tout seul. « Je suis à l'aéroport. » Adel était resté silencieux, faisant seulement remarquer que sans moi il serait déjà arrivé depuis longtemps à Nahaf et qu'il regrettait vraiment d'être venu.

Je m'étais assis et je pleurais en attendant Papa.

« Que s'est-il passé ? » me demanda-t-il lorsqu'il arriva enfin. Incapable de répondre, le visage bouffi, je pris place à l'avant et Abel s'installa derrière. Il lui raconta qu'un soldat nous avait fait descendre de l'autobus et que je n'avais pas voulu repartir. Papa me dit : « Es-tu complètement idiot ? Qu'est-ce que ça veut dire ? C'est pour ça que tu pleures ? » Adel enchaîna : « Je le lui ai dit mille fois mais il ne voulait rien entendre. » Je restai muet.

Adel et Papa parlèrent du lycée, de la nourriture au réfectoire, et du « goûter » – comme ils disaient là-bas –, qui comprenait un biscuit et un jus de fruits. Adel dit : « Il y a de la viande à tous les repas. » Ils évoquèrent la grande bibliothèque et le terrain de sport. Papa s'emporta : des millions d'enfants aimeraient être à ma place et je pleurnichais comme un bébé. « Tu as envie de revenir à Tira et d'étudier avec tous ces merdeux ? C'est ça que tu veux ? Alors d'accord, reviens ! Mais ne te plains pas si tout le monde raconte que tu t'es fait jeter du lycée au bout d'une semaine. Tu as envie qu'on dise que tu as échoué ? Que tu as été incapable de t'intégrer dans un bon lycée ? Qu'est-ce que tu imaginais ? »

Mes larmes n'avaient pas séché que je comprenais déjà que Papa ne me permettrait pas de revenir à la maison. Je n'avais pas le choix : je devais retourner à l'internat.

Papa me dit en se moquant de moi : « Regarde Adel, est-ce qu'il pleure, lui ? » Mon salaud de père savait donc que les Arabes devaient descendre à l'aéroport ; d'ailleurs, lui aussi avait pris cet autobus-là

114

lorsqu'il allait à l'université. Mon père dit :
« On ne m'a jamais demandé de descendre, à
moi. On ne me prenait pas pour un Arabe.
Et chaque fois que des soldats obligeaient
quelqu'un à descendre, je me levais de mon
siège pour crier en agitant fièrement ma carte
d'identité : "Faites-moi également descendre,
moi aussi je suis arabe !" Mais qu'est-ce qui
t'a pris ? Quel peureux tu es ! Un pauvre
soldat minable t'a donc fait si peur ? Mais
regarde-toi, bon sang ! »

Par la suite, j'empruntai cette ligne des centaines de fois. J'avais toujours aussi peur. Je
ne commençais à respirer que lorsque l'on
avait dépassé l'aéroport. On ne me fit descendre qu'à ce premier trajet. Après, plus
jamais on ne me prit pour un Arabe. J'avais
pitié de ceux qui devaient descendre et je
remerciais Dieu de ne pas m'être fait repérer.
Pour ma deuxième semaine à l'internat, je
décidai de raser ma moustache. Je dis à Adel
qu'il nous fallait apprendre à prononcer le *pé*
correctement mais il ne sembla pas intéressé.
Sur les conseils du professeur de Bible, je
m'entraînais en plaquant une feuille de papier
contre mes lèvres. Il m'avait expliqué : « Si la
feuille bouge, cela veut dire que tu as prononcé *pé*. » Adel se moquait de moi en disant
qu'il ne voyait pas de différence. Pour lui, le
pé et le *beit* se prononçaient de la même
façon ; tout ça c'était dans ma tête et l'hébreu
était une langue nulle. Il n'arrivait

décidément pas à comprendre pourquoi deux lettres étaient nécessaires pour un même son. Cette semaine-là, je m'achetai un pantalon dans un magasin juif. Je m'offris un walkman ainsi que des cassettes en hébreu. Je ne traversais plus jamais l'aéroport sans des écouteurs sur les oreilles ou un livre en hébreu à la main. Je ne croisai plus les lycéens de Polanski ; auraient-ils seulement pu me reconnaître ? Je commandais un taxi pour me rendre à la gare centrale et pour en revenir. Adel et moi restâmes bons amis mais je ne l'invitai plus jamais chez nous.

4. En short

À l'internat je pouvais jouer avec de vrais fusils. Je savais utiliser une carabine et un Uzi : charger, épauler en se penchant en avant tel un tireur d'élite et appuyer sur la gâchette. Lors des excursions, les professeurs qui nous accompagnaient emportaient une arme ; très vite j'en fus responsable. Elle était lourde et j'étais le seul élève à vouloir la porter. J'étais si fier de pouvoir parader un fusil sur l'épaule.

Notre professeur d'histoire, un gauchiste, me confiait toujours son arme en me demandant de rester près de lui car quelqu'un lui avait fait une remarque me concernant. Il s'était senti obligé de m'expliquer qu'il ne pouvait pas me laisser porter les munitions. Pourtant il aurait pu me faire confiance les yeux fermés.

Très vite je pris l'habitude de m'asseoir à l'arrière du bus avec les autres lycéens et de chanter avec eux. Il ne me fallut pas beaucoup de temps pour devenir le meneur avec *Vers la source* et *Où sont les filles ?* Je connaissais les paroles par cœur. À l'école primaire, quand on était de sortie, on entonnait inlassablement *Plus vite chou-fleur !* pour encourager le chauffeur à accélérer.

« N'aie pas peur de la police ! Nous sommes enfants de Palestine. La Palestine est notre terre et le Juif est notre chien qui vient frapper à la porte comme un mendiant. » Nous chantions sans comprendre le moindre mot. À Tira, un jour, notre professeur d'histoire nous avait interrogés pour savoir qui parmi nous avait idée de ce qu'était la Palestine ; personne n'avait su répondre. Moi pas plus que les autres d'ailleurs. Puis il avait demandé, avec ironie, si quelqu'un avait déjà vu un Palestinien, et le gros Mohamed qui avait toujours peur d'être battu s'était levé pour dire qu'une nuit il en avait vu deux alors qu'il roulait en voiture avec son père. Depuis ce jour, le professeur s'était mis à frapper tous les élèves, à commencer par le pauvre Mohamed. Il tapait avec sa règle en criant : « Nous sommes palestiniens ! Vous êtes palestiniens ! Je suis palestinien ! Bande d'abrutis ! Je vais vous apprendre, moi, qui vous êtes, bande de bestiaux ! »

Lors des sorties annuelles du lycée, il nous arrivait de dormir à la belle étoile. On allumait un feu de camp. Des enfants jouaient de la guitare. À Tira personne ne savait en jouer. Nous chantions des airs des Beatles. Je savais à présent qui ils étaient et je m'étais fait un devoir d'apprendre leurs chansons. Au début je ne supportais pas ce genre de musique, mais quelques mois m'avaient suffi pour me familiariser avec ; je commençais à l'aimer. Lorsque je rentrais chez moi pour les vacances, je hurlais contre mes frères qui en étaient toujours à écouter Fairuz. Quand mon père me conduisait en voiture à la station de bus de Kfar Saba je le suppliais de mettre la radio en hébreu ou, si c'était de la musique arabe, de baisser le son. Non parce que j'avais honte ; je ne la supportais plus. Je lui disais que mon oreille s'était habituée à autre chose. Pendant une excursion à Wadi Kelt, alors que je marchais en tête, un Uzi sur l'épaule, avec les guides touristiques et les professeurs, nous avions soudain entendu des bruits. Un guide avait levé la main et ordonné à tous les écoliers de s'arrêter. Notre professeur d'histoire, pris de nervosité, m'avait arraché violemment mon fusil ; j'étais tombé et je m'étais blessé au coude. Il avait enclenché le chargeur et armé. Mais il s'agissait d'un autre groupe scolaire en vadrouillle.

C'était mon ancienne classe de Tira. Je les avais reconnus ; eux de même. Leur professeur avait demandé à ses élèves de s'arrêter sur le côté pour nous laisser passer car le chemin était très étroit. J'avais avancé en tenant ma main en sang, la tête baissée. Les lycéens de Tira s'étaient mis à m'appeler ; j'avais fait comme si de rien n'était. Ils disaient : « Regarde ! C'est lui ! Tu as vu son short ! » Je me dépêchai de passer devant eux. Certains m'interpellaient : « Salut ! Ça va ? » Je ne savais plus où me mettre. J'avais acquiescé de la tête, en poursuivant mon chemin. Plus tard, quand mes camarades me demandèrent si je les connaissais, je leur jurai que non. « Mais ils t'ont appelé par ton nom », avait rétorqué l'un d'eux. Je n'avais rien trouvé d'autre à lui répondre que c'était un nom très courant chez les Arabes.

5. Un Arabe restera toujours un Arabe

Papa dit qu'un Arabe restera toujours un Arabe. Il a raison. Les Juifs peuvent bien vous faire croire que vous êtes des leurs et paraître le plus aimables au monde, à un moment ou à un autre, il faut vous rendre à l'évidence, pour eux vous restez toujours un Arabe.
Parfois, quand je reviens à la maison, il m'arrive d'emprunter quelques-uns de ses livres à mon père. Je déteste lire en arabe mais je ne peux pas m'empêcher d'y jeter un coup d'œil. Ni de chercher à comprendre pourquoi Mahmoud Darwich est tenu pour un grand écrivain, et pourquoi Émile Habibi a reçu le prix Israël. Le dernier livre que je lui ai volé était *Hamarat Al Balad* de Salman

Natour. Il y est question d'un jeune Arabe, un poète, je crois, ou un écrivain, qui décrit l'ambiance d'un pub de Tel-Aviv. Il dépeint les Juifs de gauche qui le courtisent, l'écoutent et aiment se faire voir en sa compagnie. De jeunes et jolies filles viennent l'embrasser et s'asseoir à sa table. Il écrit qu'à un certain moment, il s'est même cru totalement assimilé. Comme je me sens stupide aujourd'hui d'avoir pu penser comme lui.

Papa disait que je serais le premier Arabe à fabriquer la bombe atomique ; je crois qu'il le pensait vraiment. Adel m'avait bien soutenu qu'il n'y avait pas la moindre chance, que lui aussi y avait pensé, mais que quand bien même il serait l'homme le plus intelligent au monde, jamais on ne lui laisserait la possibilité d'exercer un tel métier. Certaines choses sont, de fait, interdites aux Arabes. Nous étions tous les deux assis dans la loge du gardien. Chaque soir, deux élèves devaient monter la garde et réveiller leurs camarades en cas d'alerte. Cette nuit-là, c'était notre tour. Adel ne pensait qu'à une chose : s'occuper des filles ; certaines devaient dormir en culotte. Je me moquais de lui, mais cette idée me grisait aussi. Le tiroir, sous son lit, était plein de revues pornographiques. Parfois, en son absence, je m'enfermais pour les feuilleter. Je pensais : Quel pervers !

La guerre touchait à sa fin. Il n'y avait pas eu d'alertes depuis plusieurs nuits mais Adel pensait que les Irakiens pouvaient encore gagner. Ils attendaient seulement que les

Américains se soient rapprochés davantage. Les Irakiens avaient assez de pétrole pour embraser l'ensemble du Golfe et incendier tous les porte-avions. Le problème était le manque de réelle stratégie. Si on le lui avait demandé, il leur aurait montré, lui, comment gagner la guerre.

Le gardien dans la cabine vitrée en face me faisait peur. J'avais toujours craint les hommes en uniforme : pour moi c'était tous des policiers. Mais je sentais que lui aussi avait un peu peur de nous. Il ne nous adressait pas la parole, il restait assis un livre entre les mains, comme s'il était en train de potasser une leçon. De temps en temps il levait les yeux, et si l'un de nous deux croisait son regard, il se replongeait aussitôt dans son ouvrage. Je pensais qu'il était étudiant, Adel qu'il était en train de réviser les épreuves de rattrapage du baccalauréat. Il le considérait surtout comme un incapable.

Je ne souhaitais qu'une chose : que les alertes cessent. Mes parents ne portaient plus leur masque ; quant aux pièces calfeutrées, n'en parlons pas. Maman me racontait que Papa et mes frères sortaient pour observer les missiles dans le ciel. Ils n'étaient pas les seuls. Personne dans le village n'acceptait de rester enfermé. Les gens sortaient pour voir si le Patriot allait ou non atteindre sa cible. Notre voisin apostrophait les Scuds. Il essayait de les orienter pour qu'ils contournent le Patriot. Il hurlait : « Non... À gauche ! C'est ça ! Super ! » sous les applaudissements et les youyous des femmes.

Les journaux arabes racontaient l'histoire de cette chèvre qui bêlait : « Sad... dam ». Puis les gens s'étaient mis à voir Saddam dans la lune. Le week-end suivant, quand je revins à la maison, Papa ne comprenait pas comment je pouvais ne pas le voir. Il m'avait expliqué des heures durant où regarder exactement. Où se trouvaient le nez, la bouche, la moustache et la visière. J'avais fini par le voir ; c'était en effet ressemblant. Et pas seulement ressemblant : c'était vraiment lui. Il suffisait de lever le nez.

6. Les matsot [1]

Quand nous étions enfants nous nous battions pour les *matsot*. C'étaient comme les *krembo* ; il n'y en avait pas toujours. Les femmes n'étaient pas obligées de faire la cuisine pendant la période des *matsot*. Tout le monde en mangeait. Avec du *houmous*, du saucisson, des *pasoulia*, c'était si bon ! Grand-mère me raconta que les Juifs avaient un jour, quand il était petit, enlevé le docteur Jihad. Sa mère, veuve comme ma Grand-mère, avait pleuré toute la journée et l'avait cherché dans tout Kfar Saba. Le temps qu'elle descende pour lui acheter une glace, il avait disparu.

---

1. Pluriel de *matsah*. Pain azyme. On le consomme tout particulièrement pendant la Pâque.

Des villageois l'avaient aidée à le rechercher. Il était fils unique, comme mon père. Elle en mourrait de chagrin, la pauvre ! Finalement elle avait retrouvé l'enfant avec des Juifs religieux « modérés » qui avaient eu pitié d'elle et le lui avaient rendu. Grand-mère disait qu'ils voulaient prendre son sang pour fabriquer leurs *matsot*. Nous n'arrivions pas à imaginer le docteur Jihad petit enfant. Sagui fut le premier de mes camarades à m'inviter pour le *seder* de Pessah. Je commençais à peine à me raser la barbe. Ses parents avaient un appartement petit mais agréable dans un immeuble avec ascenseur. Au village il n'y en a pas ; je n'en avais vu qu'à l'hôpital Meir de Kfar Saba. Il me dit que je n'avais pas à m'inquiéter, car ses parents étaient de gauche. Sa mère, Sud-Américaine qui avait connu la révolution, était très militante et elle croyait dans le socialisme ; quant à son père, il était polonais. Il me montra des photos de lui habillé en hippie, dans les années soixante, lorsqu'il étudiait l'informatique aux États-Unis. Sagui avait une petite sœur qui jouait du piano dans le salon. Dans la cuisine, une petite télévision était installée sur un socle pivotant. Ils furent très gentils avec moi. Sa mère était charmante, elle souriait tout le temps. Elle avait fait la cuisine toute la journée et elle nous avait envoyés, Sagui et moi, chercher des chaises chez la voisine.

Je ne peux pas dire que nous étions amis. Parfois, par curiosité, je lui empruntais des cassettes de hard rock. Je n'aimais pas beaucoup cette musique, mais comme il m'avait invité pour m'en faire écouter, j'y étais allé. À cette période, je n'avais pas particulièrement envie de rentrer chez moi. J'étais en pleine crise d'adolescence ; j'en voulais à mes parents de ne pas s'être bien comportés à mon égard. Du moins, c'était ce que je ressentais.

Le soir, un vieil homme et un couple avec des enfants, dont une fille de notre âge, étaient venus. Nous nous étions assis dans un coin pendant qu'ils chantaient. La fille regardait des images d'un livre sur Pessah. Elle ne parlait pas l'hébreu. Mais elle connaissait certains chants, qu'elle chanta avec son accent étranger. Tout juste arrivée en Israël, elle paraissait contente ; elle était très jolie.

J'assistais à une fête juive pour la première fois. Tout le monde est réuni autour de la table. Les gens sont bien habillés. Il y a du vin à boire et on ne fait pas la cuisine sur le feu. Même s'il y a beaucoup de convives, il n'est pas question d'utiliser des assiettes en plastique. Il n'y a pas de *houmous* à table ; on mange du foie haché et plein de choses bizarres que je n'avais jamais goûtées. Ils étaient adorables avec moi et ne me forçaient pas. Ils me disaient tout le temps : « Ne te crois pas obligé si tu n'aimes pas. » Mais je mangeais. Si c'était bon pour eux, ce ne pouvait que l'être aussi pour moi.

Sagui m'a appris beaucoup de choses. Ce que sont la *Haggadah*, l'*afikoman*, les dix plaies d'Égypte et qui est le prophète Élie ; il s'était d'ailleurs déguisé en Élie. Je ne pouvais pas m'empêcher de regarder la fille ; mais comment faire impression sur quelqu'un quand on ne parle pas la même langue ? Elle vivait dans un *Oulpan* où elle apprenait l'hébreu afin de pouvoir rester en Israël. « Quel pays extraordinaire ! » s'exclamat-elle ; je ne comprenais pas ce qu'elle entendait par là. Je pensai : Attends donc de voir les lycéens de Polanski et d'être obligée de prendre l'autobus ! Elle semblait vraiment heureuse. Ses parents étaient restés en Argentine mais elle disait que ça ne la gênait pas ; elle aimait Israël.

Nous étions allés dans la chambre de Sagui. Je n'arrivais pas à comprendre son nom, ni elle le mien. Sagui, qui connaissait un peu l'espagnol, nous servait de traducteur. Je lui dis : « Demande-lui s'il y a des Arabes dans son *Oulpan.* » Elle répondit que non. « Elle en a entendu parler mais elle n'en a pas peur », traduisit Sagui ; il entreprit de lui expliquer qu'il y en avait dans son lycée et que ça ne posait pas de problèmes. Mais elle ne comprenait pas comment nous pouvions accepter cela car pour elle il n'existait pas de bon Arabe. Sagui éclata de rire. Il me dit : « Quelle idiote ! Elle est bouchée, crétine et stupide », puis il se prit la tête entre les mains et s'esclaffa en me désignant : « Il est arabe ! » Elle éclata de rire à son tour en nous faisant remarquer que ce n'était vraiment pas gentil de parler comme ça de moi.

7. La fête de l'Indépendance la plus belle de ma vie

Dans mon nouveau lycée les professeurs ne battaient jamais les élèves. Ils ne nous cherchaient pas les poux et ils ne vérifiaient pas nos devoirs. Ils ne se faisaient pas appeler « maître » et pour répondre, pas besoin de lever le doigt. Pas besoin non plus de demander l'autorisation pour aller aux toilettes. On pouvait s'y rendre quand on voulait ; le lieu, propre et spacieux, était équipé d'un sèche-mains. Je n'aimais pas beaucoup ça mais il y avait aussi des serviettes en papier. Les femmes de service en tablier bleu n'avaient pas le droit de frapper les élèves, elles ne leur parlaient d'ailleurs jamais.

Il n'était pas obligatoire de se mettre en rang avant d'entrer en classe. Nous n'étions pas obligés de lire le Coran pour commencer et les garçons pouvaient s'installer à côté des filles.

Naomie, un jour, s'était assise près de moi et j'étais tombé amoureux. Plus que tombé. Effondré. Allongé sur mon lit, à contempler le plafond, j'avais du vague à l'âme. Un sentiment inconnu et étrange m'envahissait ; une douleur d'un genre nouveau. Partout, au réfectoire, à la bibliothèque, en classe, dans le hall d'entrée, je tendais l'oreille, je guettais ses pas. Je les reconnaissais même de loin, qu'elle soit pieds nus, en sabots ou en chaussures de sport.

Nous passions beaucoup de temps ensemble. Une fois, nous révisions une leçon de chimie dans sa chambre. Je m'étais assis sur son lit bordé de jolis draps et recouvert d'une couette. Elle avait les cheveux longs. Ni bruns ni blonds, plutôt auburn. Ses mains étaient blanches et son visage couvert de taches de rousseur. J'adorais ça. Quand elle était de service aux cuisines je l'aidais. Pour la fête de fin d'année, en seconde, j'avais dansé avec elle. Un mois à peine après la rentrée en classe de première, je lui déclarai mon amour. Mais un mois plus tard elle se trouvait un petit ami.

Je les avais surpris s'étreignant sous la neige. La première que je voyais. Silencieuse, ne battant pas le carreau comme la pluie et irisant la nuit. De la fenêtre de ma chambre je contemplais l'herbe tapissée de blanc. Je m'étais effondré sur mon lit, la bouche ouverte et les tempes battantes jusqu'à ce qu'ils se séparent.

Le jour de la Shoah elle avait lu, debout, en chemisier blanc, dans un grand livre noir, l'histoire d'une fillette dont le père avait été brûlé vif dans une forêt sous ses yeux. À la fin de la cérémonie, je lui avais dit que je l'aimais ; et elle avait souri.

Le jour du Souvenir elle avait été folle furieuse, car je ne m'étais pas levé au hurlement de la sirène, pendant le cours de biologie. Mon grand-père et mon oncle avaient pourtant été tués à la guerre. Lorsque la sirène s'était tue, elle avait pris son cartable et elle était sortie de la classe.

Au déjeuner, elle n'était pas reparue. Je ne l'avais trouvée ni dans sa chambre ni à la bibliothèque. Quel imbécile j'avais été ! Qu'est-ce qui m'avait pris ? Je n'aurais pas pu me lever ? Elle était quand même une orpheline de Tsahal. Boursière de l'État. Son père était mort quand elle était toute petite. Au-dessus de son lit, elle avait accroché une photo de lui la portant sur ses épaules. Elle devait avoir trois ans et n'en gardait aucun souvenir. Il était officier, et avait participé à l'évacuation de Yamit. Il n'était pas mort au front mais dans un accident de voiture en rentrant de sa caserne.

Je l'avais attendue à la porte de l'école en écoutant à mon walkman des airs nostalgiques.

Elle était descendue les larmes aux yeux de la Mitsubishi de sa mère, que je voyais pour la première fois, et qui m'avait dévisagé avant de repartir. Toutes les deux venaient d'assister à une cérémonie sur le mont Herzl mais ce n'était pas la raison de sa tristesse.

« Pourquoi ne t'es-tu pas levé à la sirène ?

— Je ne suis pas juif.

— Je t'aime. Cela fait longtemps que je t'aime. Je l'ai avoué à ma mère. J'ai pleuré et lui ai confié que je n'en pouvais plus. Chaque fois que tu me disais "je t'aime", je pensais en moi-même "moi aussi, moi aussi". » Elle était radieuse.

Je savais à présent ce qu'était le bonheur. Je l'avais aidée à porter son sac jusque dans sa chambre. J'étais heureux. Ce fut la fête de l'Indépendance la plus belle de ma vie.

8. Foyer national

Je pense parfois à mon enfance et je remercie Dieu qu'elle soit finie. Lui seul sait ce que j'étais alors et ce que je ressentais. Je suis si heureux d'être enfin adulte.

Vers le milieu de la terminale j'étais allé au café pour la première fois. C'était un mardi, à l'occasion d'une soirée libre. L'idée de pouvoir, dans ce genre d'endroit, ne manger qu'une salade, sans pita, m'enthousiasmait. Un plat unique, composé de toutes sortes de choses et servi dans une grande assiette creuse. Nous étions en terrasse, au café Atara, celui dont parle Amos Oz dans *Mon Michael*. Naomie avait commandé une salade grecque et moi un chocolat froid. Une des rares choses que je connaissais, et que j'étais capable de m'offrir.

Cette année-là, Naomie m'emmena dans une salle de cinéma, pour la première fois aussi. Je n'en revenais pas que des filles puissent s'y rendre. À Tira, il y avait un cinéma autrefois. C'était une petite pièce aux murs de briques non chaulés où était installé un écran de télévision. Lorsque nous étions tout petits, le fils de Tante Ibtisam, qui était beaucoup plus âgé, nous avait accompagnés un jour voir *Tarzan*. Dans cet antre obscur il n'y avait que des chaises en bois, comme à l'école primaire.

129

Mon petit frère avait vomi dès le début et nous avions dû partir. Tout le monde intervenait, criait, fumait, et quand la fiancée de Tarzan était apparue dans la jungle, des sifflets et des propos obscènes avaient fusé dans l'assistance. J'en avais été effrayé.

Cette fois-là, avec Naomie, j'étais un peu inquiet. Le cinéma allait sûrement regorger d'individus semblables aux lycéens de Polanski. Ils me reconnaîtraient et je ne saurais par où m'enfuir. Parfois, ceux de Polanski venaient jusqu'à la porte de l'école et se mettaient à hurler : « Mort aux Arabes ! » Jamais je ne sortais jouer sur le terrain de sport de l'autre côté du mur. Cela me paraissait trop dangereux, trop éloigné de la loge du gardien.

Naomie m'assura que je n'avais rien à craindre. Nous allions voir *Le Monde selon Garp*. Un film, me dit-elle, que les voyous ne vont pas voir ; un film pour gens de gauche dans son genre. Nous nous tiendrions la main pendant le film. Je ne devais pas avoir peur.

Cette nouvelle vie me ravissait. Je comprenais qu'il n'y avait pas que les voyous pour aller au cinéma, et que des hommes et des femmes pouvaient s'asseoir les uns à côté des autres. La salle était spacieuse et propre, les fauteuils molletonnés et les gens venaient correctement habillés. Quelle ne fut pas ma joie de voir apparaître deux cuisiniers arabes dans le film. Ils étaient parfaits et très drôles. Le pianiste du restaurant m'enthousiasma. Naomie me dit qu'il s'agissait de Dani Litani, le célèbre chanteur. Elle n'avait pas de cassettes de lui dans sa chambre, mais elle en avait une d'un autre interprète avec *Ce sera bien* et *Sortez des territoires*. Je n'arrivais pas à croire qu'un chanteur juif puisse chanter de telles choses.

Naomie était pour le Ratz[1]. Elle portait la chemise verte du parti. Pour elle, un homme était un homme. Il n'existait aucune différence entre les peuples, et les individus devaient être jugés pour eux-mêmes ; un peuple n'était pas un tout indivisible. Elle disait que partout il y avait des bons et des méchants. J'avais beau avoir un peu de mal à la suivre, je prenais cela très au sérieux.

C'est aussi en terminale que je compris ce que signifiait l'année 48, la « guerre de Libération ». Je découvrais qu'un *sahyouni* est un sioniste et pas une injure. À l'école, c'est avec ce terme que nous nous insultions. Je compris que le sionisme était une idéologie. Grâce aux cours d'éducation civique et d'histoire d'Israël, je pris conscience que ma tante de Tulkarem était ce que l'on appelle une réfugiée et que les Arabes d'Israël représentaient une minorité. Je mesurai la gravité du problème. Je compris ce qu'étaient un foyer national et l'antisémitisme. Pour la première fois, j'entendis parler des deux mille ans d'exil et j'appris que les Juifs s'étaient battus contre les Arabes et les Britanniques. Je ne pouvais pas le croire. Il n'y avait donc aucun

---

1. Mouvement pour les droits civiques (parti de gauche).

espoir. Les Anglais avaient voulu les Juifs ici. Les cours de Bible me révélaient qu'Abraham était aussi le père d'Isaac et que c'était lui, et non Ismaël, qui avait été échangé contre un mouton.

Cette année-là, dans le cadre de la préparation à l'armée, tous les élèves de ma classe étaient régulièrement appelés pour l'entraînement militaire sur le parking ; à moi, on remettait un ticket d'autobus et un billet d'entrée pour le Musée d'Israël. Parfois des soldats en uniforme venaient faire des conférences ; je n'étais pas davantage autorisé à y assister. Notre professeur s'excusait toujours. Il ne lui était pas agréable de me dire que cela ne me concernait pas.

C'est aussi cette même année que je compris que je ne serais jamais aviateur, quand bien même je l'aurais voulu et que j'aurais prouvé en avoir les capacités, résultats à l'appui. Je n'aurais d'ailleurs pas eu la moindre chance d'être convié aux tests de sélection. Comme mon père alors me faisait rire !

9. Méthode éducative

Ce jour-là, mon père et ma mère avaient pris un jour de congé. Ils s'étaient bien habillés et une heure et demie avant le rendez-vous ils étaient montés en voiture. Pas question d'arriver en retard. Car il leur fallait bien assumer leur rôle de parents. La veille, en pleine nuit, on m'avait transporté à l'hôpital.

La conseillère d'éducation m'avait conduit aux urgences de Shaarei-Tsedek. Je l'avais insultée quand j'avais entendu qu'elle avait demandé à mes parents de venir. Quelle honte pour eux ! Et autant pour moi ! À présent j'allais me haïr encore davantage. J'étais obsédé à l'idée que mes parents ne l'apprennent. Que Papa, au moins, ne soit pas au courant. Ils étaient venus à l'hôpital, ils m'avaient vu subir un lavage d'estomac. Puis ils s'étaient entretenus avec la conseillère d'éducation et ils m'avaient ramené à la maison, au village. Bassem, l'ami de Papa, était là lui aussi. La conseillère avait téléphoné pendant que mon père disputait une partie d'échecs avec lui, et Bassem avait tenu à les accompagner.

Quand, penché au-dessus de mon lit d'hôpital, il m'avait demandé : « Mais qu'est-ce qui ne va pas ? » Papa lui avait répondu : « Tout ça à cause de cette chienne, de cette salope de Juive ! »

Ces derniers temps, j'étais tout le temps fatigué et patraque. J'avais du mal à trouver le sommeil et je ne dormais guère plus de deux heures par nuit. En proie à de violentes migraines qui duraient déjà depuis plusieurs mois, j'étais incapable de me concentrer, de penser, de dormir ou même simplement de rester assis à ne rien faire. Mes oreilles bourdonnaient en permanence. L'aspirine ne me faisait aucun effet, et le scanner n'avait montré aucune anomalie. Même les examens neurologiques étaient bons.

Un week-end où j'étais rentré à la maison, Maman m'avait emmené chez notre voisine Amné, l'amie de Grand-mère. Sa fille aînée était élève infirmière et allait pouvoir me prendre la tension ; elle la trouva, effectivement, trop élevée.

Amné s'était alors mise à l'œuvre. Elle avait attaché un paquet de sel à l'extrémité d'un foulard qu'elle avait fait tourner autour de ma tête en marmonnant des incantations. « C'est le mauvais œil, avait-elle affirmé, et grâce à Dieu cela va passer. » Elle en était certaine parce qu'elle avait bâillé pendant l'opération et le sel avait fondu.

Mais, les cachets contre l'hypertension s'avérant inefficaces, les douleurs avaient persisté. Un mois plus tard, de retour au village, Papa m'avait dit qu'il pensait à un problème de vision. J'avais mal à la tête parce que je travaillais trop. Les livres et l'ordinateur m'avaient certainement fatigué les yeux. Un de ses amis, un ophtalmologiste de Taibeh, lui avait fourni cette explication. Il s'agissait du docteur Majed et mon père m'avait suggéré que nous allions le consulter au dispensaire. J'avais accepté. L'idée de porter des lunettes rondes comme John Lennon me plaisait, mais je savais bien le temps que je passais à lire ou devant mon ordinateur.

En chemin, j'essayai de somnoler sur la banquette arrière. Je ne voulais pas que Naomie me voie encore avec les yeux gonflés. Le docteur Majed était en réalité psychiatre et directeur du Centre de santé publique de Taibeh.

Il nous avait donné rendez-vous l'après-midi, car le dispensaire était alors quasiment désert. Lorsque nous arrivâmes il n'y avait qu'une femme assise sur une chaise, et qui se balançait sans arrêt d'avant en arrière. Le docteur Majed la fit entrer d'abord, pour lui renouveler son ordonnance. Dans son bureau se tenait un jeune garçon, probablement un stagiaire, étudiant en psychologie. À moins que ce ne fût un assistant social.

Le docteur Majed me demanda comment j'allais. Je lui dis : « Mal. » Il me demanda si j'avais des problèmes à l'école, et je lui répondis que tout allait parfaitement.

Mon père, poursuivit-il, lui avait dit que c'était déjà ma troisième année à l'internat, les épreuves du baccalauréat approchaient et mes maux de tête incessants m'empêchaient de me concentrer pour étudier et préparer mes examens. J'étais tout simplement déprimé, conclut le docteur Majed ; il me prescrivit de la Doxaphine 10 et ajouta : « Un cachet par jour, et tout ira bien. »

Je fis ce qu'il me dit ; cela m'aida à dormir un peu mieux. Les médicaments me fatiguaient et me faisaient enfler le visage, mais je sentais qu'ils étaient bénéfiques. Je voulais être, officiellement, en dépression, comme Kurt Cobain. J'avais une ordonnance renouvelable et j'achetais moi-même mes comprimés. Ils n'étaient pas chers ; je me mis vite à en prendre deux par jour avant de décider d'augmenter la dose et de passer à la Doxaphine 25. J'avalais un cachet chaque fois que je sentais la déprime rappliquer ou que j'avais mal à la tête. J'étais toujours dans les vapes mais personne ne me demandait pourquoi. J'en arrivai bientôt à un état où il n'y avait plus rien à attendre de moi et où il valait mieux ne pas intervenir. Naomie continuait de me rendre visite de temps en temps. Elle me disait qu'elle voulait être psychologue, qu'elle voulait obtenir un sursis pour pouvoir faire ses études et qu'elle travaillait beaucoup pour préparer son baccalauréat. Après quoi, nous nous séparerions. Je le savais. Sa mère en avait décidé ainsi. Elle disait que l'internat était une chose, et que tant que nous nous y trouvions, peu lui importait que sa fille ait un petit copain arabe. Elle n'avait rien contre moi ; il était seulement dommage que je ne me sois pas appelé Haïm.

La veille de l'épreuve d'hébreu, deux jours avant celle de mathématiques, j'avalai une boîte entière de Doxaphine 25. Dix cachets d'un coup. Je voulais dormir. Naomie était arrivée ; elle avait frappé et je n'avais rien entendu. Elle savait que j'étais là. Je ne sortais presque plus de mon lit ; où aurais-je pu aller ? Elle avait ouvert la porte et avait tenté de me réveiller. Je l'entendais, la voyais, j'avais même ouvert un œil, mais, allez savoir, elle avait cru que je dormais encore. Je l'avais vue se précipiter dans le couloir et revenir avec la conseillère d'éducation qui, Dieu sait pourquoi, se trouvait encore là à une heure pareille.

Aujourd'hui, nous avions rendez-vous dans le service de psychiatrie de Kiriat Yovel avec le psychologue pour enfants. Mes parents devaient m'accompagner.

Papa me demanda : « Que vas-tu donc leur raconter ? As-tu déjà parlé à la conseillère d'éducation ? Que lui as-tu dit sur moi ? Il ajouta : « As-tu parlé de moi ? Bassem, lui aussi, en sait, des choses sur toi. Comment tu traînes avec des filles, comment tu as foutu en l'air tes études et tout balancé à cause d'une salope. »

Je rassurai Papa ; je ne leur avais parlé de rien, et je n'avais, d'ailleurs, rien à dire. Il ne serait pas mis en cause ; personne ne chercherait à le rendre responsable de mon état. Et une fois de plus, il s'en sortirait, comme toujours.

Maman me dit : « Tout se passera bien. » Je devais réfléchir et passer malgré tout mes examens ; quoi qu'il en soit, elle était persuadée que je m'en sortirais. Elle ne comprenait pas comment j'avais pu en arriver là. Elle ajouta : « Nous savions que c'était dur pour toi, mais nous ne nous doutions pas à quel point. »

Je les entendais parler, cela me dérangeait dans mes pensées, sur le siège arrière. Il ne me restait plus qu'un jour pour voir encore une fois Naomie. J'imaginais notre baiser d'adieu.

Papa se lança dans un nouveau monologue. Il disait que tout ce qu'il avait fait, c'était pour moi, pour mon éducation. « Sais-tu qu'en Angleterre, aujourd'hui encore, on a le droit de battre les élèves à l'école ? C'est une méthode éducative. »

Je lui répondis que je le savais, que je comprenais et je jurai n'avoir rien dit à personne ni avoir évoqué le sujet.

Cela clôtura la conversation.

Je me souvins alors de la dernière fois lorsque j'étais rentré à la maison pour l'*Id Al Fitr* et qu'il m'avait agoni d'injures. Il avait hurlé : « Débile mental ! Débile mental diplômé ! » Et tout ça parce que je ne voulais pas rendre visite comme à chaque fête à mes tantes. Je sentais encore ma joue gauche me brûler comme si je venais de recevoir la gifle. Je secouai la tête et collai la joue contre la vitre de la voiture pour apaiser la douleur.

Je revois le jour où, pour la première fois, Naomie avait posé sa tête sur mon épaule, avant qu'elle ne m'avoue son amour, avant que nous sortions ensemble. Un souvenir fugace et indicible.

Une semaine avant mon hospitalisation, j'avais posé ma tête sur sa poitrine ; elle m'avait caressé les cheveux en disant : « Écoute. Ne m'appelle plus. Tu comprends ? Arrêtons là, sinon ma mère me mettra à la porte. » Elle avait ajouté que sa mère préférait avoir une fille lesbienne plutôt qu'une fille qui sorte avec un Arabe.

Je me demandais ce que j'allais pouvoir faire pour l'épreuve de mathématiques et je me rappelai soudain comment j'avais renoncé au dernier moment pour celle de physique. Après trois années de souffrance avec cette matière, je ne m'étais pas rendu à l'examen. Maintenant, j'étais certain que j'allais échouer. Et c'était loin d'être gagné pour le baccalauréat. Mes parents allaient devenir fous ; Papa ne saurait pas où se mettre tant il aurait honte. Il avait raison. J'avais bousillé mon avenir, et tout ça à cause d'une salope de Juive.

Mais je n'en voulais pas à Naomie, au contraire. Tout venait de sa mère. Que pouvait-elle bien faire ? Si cela n'avait dépendu que d'elle, jamais elle n'aurait rompu comme ça, brutalement ; car comment peut-on cesser d'aimer sur commande et ainsi fixer une limite à un amour un an et demi à l'avance ? Une date butoir que je redoutais chaque jour. J'avais beaucoup hurlé la veille. Dieu est témoin. J'avais voulu m'enfuir des urgences et la conseillère d'éducation avait dû me retenir de force. En voulant lutter avec elle, j'étais tombé par terre. Elle me maintenait par mes vêtements en me chuchotant : « Tu n'es plus un enfant, cesse de hurler, regarde-toi. » Des gens s'étaient attroupés autour de nous ; le gardien était arrivé mais il n'était pas intervenu, il était resté à l'écart à me regarder pleurer et trépigner. Seule l'arrivée de mes parents et de Bassem avait pu me calmer.

« Salope de Juive ! » étaient les derniers mots de Papa à son ami que j'avais entendus. Je le haïssais. Mais je haïssais encore davantage la conseillère d'éducation. Elle avait tout fait

139

pour que je cesse d'aimer Naomie et que je m'intéresse plutôt à Salwa. N'y avait-il pas à l'école des jeunes filles arabes intelligentes et jolies ? ne se gênait-elle pas pour me dire.

À présent, mes parents et moi étions en route pour Jérusalem. Le lycée les avait appelés pour les informer qu'il était hors de question que je retourne en classe avant d'avoir consulté le psychologue pour enfants. Il ne restait pourtant qu'un seul jour de classe, une dernière épreuve, mais la conseillère d'éducation avait refusé de prendre la responsabilité de m'accueillir sans le feu vert du psychologue.

Il savait que j'allais bien. Je ne voulais pas réellement mourir et les cachets que j'avais absorbés ne risquaient pas de me faire grand mal. Il m'avait cru lorsque je lui avais expliqué avoir lu dans le dictionnaire médical que l'on pouvait prescrire des dosages jusqu'à 300 milligrammes pour augmenter l'efficacité du traitement. Il avait admis que c'était exact ; par conséquent il avait tendance à croire que ce n'était pas une tentative de suicide. Il m'avait demandé de lui remettre les comprimés pour qu'il les confie à la conseillère d'éducation afin qu'elle ne m'en donne qu'un par jour car j'étais quand même encore déprimé et l'ordonnance du psychiatre était justifiée. Je pouvais retourner à l'internat pour la dernière journée.

Nous restâmes silencieux sur le chemin du retour. Une fois en voiture, Papa avait allumé la radio et s'était mis à maudire Jérusalem d'où il était impossible de capter la deuxième station. Sur la route vers l'internat, Papa s'arrêta dans un gril. Maman commanda du poulet, lui du *houmous* et une bière ; moi, je ne voulais rien prendre, ne désirant plus qu'une chose : arriver au plus vite pour revoir Naomie. Je ne voulais pas perdre de temps. Papa dit en me lançant un regard noir : « Tu ne mérites décidément rien ! »

Quatrième partie

Le fond du gouffre

1. Douleur intercostale

Je gravissais la montée qui mène de la maison à la mosquée, tête baissée, priant pour que les voisins que je risquais de croiser m'aient oublié. J'espérais avoir suffisamment changé pour qu'ils ne me reconnaissent pas. Je ne les saluais plus comme autrefois d'un *Salam aleïkoum.* Je devais tout le temps changer mon sac de main tant il pesait lourd et rendait pénible la montée jusqu'à la station de taxis collectifs. D'habitude, Papa m'y accompagnait. Parfois il me conduisait jusqu'à Kfar Saba et même, au début, jusqu'à Jérusalem. Mais ce jour-là mon père n'était pas à la maison. Il était à l'hôpital. La veille, Maman était rentrée dans la matinée. J'étais déjà levé. Elle m'avait dit que dans la nuit Papa ne s'était pas senti bien, et que même si à l'hôpital les médecins n'avaient rien trouvé, ils avaient décidé de le garder en observation. Ce n'était rien, il allait bientôt sortir, et si elle n'avait pas dû être à son travail à huit heures, elle serait d'ailleurs restée pour le ramener chez nous. Elle m'avait suggéré, en retournant à Jérusalem, de faire un détour par l'hôpital pour lui dire bonjour. De toute façon je devais prendre l'autobus à Kfar Saba. Elle avait insisté : « Reste avec lui ne serait-ce que cinq minutes. » Maman faisait toujours tout ce qu'elle pouvait pour nous rapprocher. Un an et demi s'était écoulé depuis la fin de mes études et ma dernière visite à mes parents. Au début Papa avait feint l'indifférence, faisant mine de se désintéresser totalement de moi ; je pouvais aller au diable. Mais dès qu'il repensait au déshonneur que je lui avais causé, il sortait de ses gonds et se mettait à hurler : « Tu n'as pas honte, toi en qui nous avions placé tant d'espoirs ? Tout le monde dans le village me demande où tu en es. Qu'est-ce que je peux bien leur dire ? Toi qui n'as même pas le baccalauréat ! » Les autres pouvaient féliciter leurs enfants qui avaient été acceptés en médecine, en droit ou dans une grande école, alors que lui était obligé de dire que les Juifs n'avaient pas encore décidé quoi faire de mon cerveau. Ils craignaient même qu'un autre pays ne me débauche pour mes capacités.

Je n'avais plus ma place à la maison. Mon grand frère avait collé son lit au mien pour en faire un double. Lorsque j'étais de passage, Maman les séparait et préparait le mien ; cette fois-ci, elle ne l'avait pas fait, pas plus qu'elle ne m'avait libéré d'étagères dans l'armoire. J'avais laissé mes vêtements dans mon sac et j'étais allé dormir chez Grand-mère. Sur un matelas ; plus dans son lit. Le lendemain matin, j'avais repris mes affaires et étais reparti pour Jérusalem afin d'y chercher du travail. Je comptais dormir chez Adel. Il était maintenant étudiant en droit et disposait d'une chambre à la cité universitaire.

Maman m'avait appelé quatre jours plus tôt pour m'apprendre que mon cousin avait été tué. Elle m'avait dit : « Tu dois venir aux funérailles et aux trois jours de deuil. » Elle m'avait raconté qu'avec plusieurs camarades de sa classe il était en train de jouer au ballon devant chez lui et que cela avait exaspéré ses voisins toxicomanes, de véritables cinglés. Le ballon était passé par-dessus la clôture et avait atterri dans leur maison. Les trois frères étaient alors sortis armés de couteaux et avaient poignardé les enfants. Ali était mort. Les autres, seulement blessés, étaient désormais hors de danger. Le père d'Ali était sorti leur porter secours et il avait été lui aussi gravement atteint d'un coup de couteau dans la poitrine. Il avait dû subir une opération qui s'était bien passée. On ne lui avait pas encore appris la mort de son fils ; on lui avait dit qu'il se portait bien et qu'il était à l'hôpital de Petah Tikvah. Les médecins pensaient que la nouvelle de sa mort risquait d'avoir un effet désastreux.

Mes parents étaient partis la veille lui rendre visite à l'hôpital. Alors qu'il était à son chevet, Papa avait ressenti une forte douleur dans la poitrine ; il s'en était plaint auprès d'un médecin qui avait décidé de lui faire passer des examens. Les résultats étaient bons. Ce n'était que de la fatigue, m'avait dit Maman.

Je n'avais pas pu parler à Papa pendant les jours de deuil ; il était trop occupé. Nous en étions au troisième jour. Les femmes étaient restées chez ma tante ; les hommes venus présenter leurs condoléances devaient se rassembler chez nous. Les proches de Ramallah et de Bakat Al Hateb étaient restés dormir à la maison ; ils étaient avec nous pour les accueillir. C'était une véritable tragédie. On en avait parlé à la radio, aux informations en arabe : l'assassinat de sang-froid d'un enfant qui jouait au ballon. J'avais été chargé d'accueillir les visiteurs à l'entrée de la tente mortuaire avec de petits verres et une grande cafetière en cuivre. Papa était présent en permanence. Je l'avais vu pleurer pendant les funérailles et un peu plus tard je l'avais entendu avouer que c'était la première fois qu'il pleurait pour la mort de quelqu'un.

Je montai au cinquième étage au service de cardiologie. Je cherchai la chambre 12. Si Papa me le demandait, je lui dirais que je travaillais d'arrache-pied et que j'avais l'intention de me présenter aux dernières épreuves du baccalauréat. C'était vrai que je travaillais. Si tout se passait bien, je pourrais m'inscrire l'an prochain à l'université. Pas dans une discipline prestigieuse ; mes notes n'étaient pas assez bonnes. Mais cela n'avait désormais plus beaucoup d'importance, pourvu que j'aie au moins un diplôme.

Je trouvai Papa allongé sur un lit derrière la porte, en train de boire un café. « Bonjour ! » me dit-il, quelque peu surpris, apparemment content de me voir. Il me demanda si je rentrais à Jérusalem et me dit qu'il avait envie de fumer. Il me pria de descendre lui acheter un journal au kiosque ; puis nous chercherions un endroit où il pourrait le lire et fumer une cigarette.

Il me paraissait comme d'habitude en forme, bien que branché à une machine qui clignotait et enregistrait Dieu sait quoi. J'irais lui acheter son journal puis je partirais après lui avoir demandé s'il avait besoin d'autre chose. J'avais du travail. De toute façon, je n'avais qu'une envie : fuir cette atmosphère pesante qui me donnait déjà mal à la tête.

Ces trois jours avaient été très pénibles. J'avais vu un cadavre pour la première fois de ma vie. J'ignorais qu'Ali avait tant grandi. Une moustache naissante noircissait le dessus de ses lèvres. Son corps était nu avec une cicatrice d'autopsie qui s'étendait du ventre jusqu'au cou ; je regrette encore de l'avoir vue. L'incision avait été recousue grossièrement avec d'épais fils noirs. Comme l'eau manquait pour la toilette du mort, on m'avait mis un seau entre les mains en me demandant de me dépêcher. Incapable de rester davantage, j'avais préféré m'enfuir à la maison, prétextant que je devais aider à installer les chaises et à préparer du café. Après l'enterrement, tous les hommes de la famille s'étaient retrouvés chez nous pour fomenter la vengeance. Certains parents venus des territoires étaient prêts à tout, mais on ne savait pas qui assassiner. Les trois frères toxicomanes avaient été arrêtés et la police avait éloigné leurs proches dans un autre village. La plupart des hommes de notre famille étaient restés assis autour de la table, tandis que les jeunes s'étaient levés pour aller comploter à voix basse dans un coin. Papa s'était joint à eux. Il était le plus âgé de l'assemblée qui comptait bien, c'était évident, ne pas en rester là. Tante Faten n'avait pas hésité à faire irruption sous la tente mortuaire pourtant réservée aux hommes ; elle en avait le droit car elle était veuve. C'était une femme forte et intelligente. Elle s'était interposée et s'était mise à crier : « Vous n'êtes pas des hommes si vous ne faites rien pour calmer la mère d'Ali ! Si vous ne faites rien pour apaiser sa souffrance ! »

La maison ne désemplissait pas. Parfois mon frère aîné me remplaçait ; il s'occupait du café et j'allais faire la vaisselle. Papa n'arrêtait pas. Il ne cessait d'aller et venir entre la maison et la tente sans jamais prendre le temps de s'asseoir. Il avait aussi fait plusieurs allers et retours en voiture. Vers les huit heures du soir il avait reparu. Quelques minutes après, nous avions entendu un *boum !* assourdissant. Papa avait le regard fier. Deux minutes plus tard, un jeune garçon était venu lui murmurer quelque chose à l'oreille. Papa avait alors repris sa voiture ; il était revenu au bout de cinq minutes avec deux médecins de la famille, munis de leurs trousses. Quelqu'un était blessé ; il était hors de question de le transporter à l'hôpital.

J'étais alors entré dans la maison. Je ne connaissais pas le blessé mais je remarquai qu'il portait les chaussures de sport de Papa. Il s'était fait une coupure à la jambe en sautant par la fenêtre ; la blessure ne semblait pas grave. Les hommes venus présenter leurs condoléances chuchotaient entre eux, ils essayaient de savoir ce qui s'était passé. Nous comprîmes très vite que la maison des assassins avait été soufflée par l'explosion de bonbonnes de gaz.

Je remontai dans la chambre avec le journal. Papa était allongé. Il se redressa en me voyant et s'assit, près de se lever, quand soudain il me lança un regard affolé et suppliant, les yeux exorbités. Son front s'était subitement couvert de sueur. La machine à laquelle il était relié s'était mise à émettre des sifflements stridents.

« Mon père ! Mon père ! » criai-je à une infirmière. Quelques minutes plus tard une équipe arrivait à son chevet. On lui posa un masque à oxygène ; son lit fut tiré vers la salle des soins de première urgence. Je les suivis, m'efforçant, en vain, de voir son visage. Ne pouvant entrer avec eux dans l'ascenseur, je me précipitai dans les escaliers ; j'arrivai le premier, persuadé qu'il était déjà mort. C'était fini. Il ne pouvait en être autrement. Je me mis à pleurer. Je me dirigeai vers les téléphones, à côté des ascenseurs. Et s'il n'est pas encore mort, me dis-je, je resterai auprès de lui jusqu'à la prochaine attaque qui sûrement l'emportera.

La moitié de la famille, les tantes et leurs enfants arrivèrent. Maman portait un foulard sur la tête et ses yeux étaient gonflés de larmes. Elle se précipita aux urgences sans qu'on puisse la retenir. Des hommes de la famille demandèrent à parler au médecin pour savoir ce qui s'était passé. Ils avaient abandonné leurs boutiques, leurs élèves et leurs occupations pour venir. Encore un malheur dans la famille ! Il ne manquait plus que ça ! Le médecin affirma que Papa allait bien ; je ne le crus pas. Je l'avais vu en sueur. J'avais vu ses yeux me dire qu'il ne reviendrait pas, qu'il était déjà ailleurs. À présent je n'osais plus entrer. Il vivait peut-être encore, mais il n'en avait plus pour longtemps. Il était maintenant branché à une multitude d'appareils qui clignotaient. Le médecin dit qu'il ne s'agissait pas d'une attaque cardiaque mais d'une douleur intercostale. Pour plus de sécurité ils avaient décidé de le garder aux urgences jusqu'à la fin des examens. Je l'observai : il semblait encore angoissé et ne paraissait pas comprendre ce qui venait de lui arriver. Il me regarda, puis se tourna vers Maman. Je compris alors que tout cela était encore ma faute.

2. Traité de colon par des Arabes

Je me suis fait traiter de colon par des Arabes. À la cité universitaire de Givat Ram, les « colons » formaient un groupe important. Tel était le surnom dont on affublait le troisième occupant d'une chambre ; pour l'administration de la cité, il n'avait pas de statut officiel. Cela permettait de partager le loyer en trois, ce dont profitait les Arabes. Seuls quelques citadins, souvent originaires de Nazareth, qui se rendaient à l'université avec leur propre voiture, refusaient cet arrangement.

Il s'agissait en règle générale d'étudiants qui s'étaient inscrits trop tard à la cité universitaire ou qui n'avaient plus droit à une chambre car leurs études duraient trop longtemps. Chaque pièce n'avait que deux lits, et lorsqu'ils étaient occupés, le colon devait se contenter d'un matelas. J'étais, quant à moi, le seul à ne pas être étudiant. Pour pouvoir pénétrer dans la cité, scrupuleusement bien gardée par des vigiles juifs et druzes, il fallait une carte d'étudiant. Adel m'avait donné la sienne et il avait dit au secrétariat que sa carte avait disparu. J'avais payé pour lui l'amende et je lui avais donné la somme nécessaire pour qu'il refasse une photo d'identité.

En moins d'une semaine j'avais trouvé du travail ; cela n'avait pas posé de problème. Il y a de nombreux établissements de soins à Jérusalem et ils ont toujours besoin d'aides-soignants. Les Juifs préfèrent les Arabes possesseurs d'une carte d'identité bleue. Eux peuvent venir travailler lorsqu'il y a des barrages, le couvre-feu ou même la guerre, contrairement aux Arabes des territoires qui en ont une orange. La fin de la première Intifada approchait ; les titulaires de cartes orange étaient, la plupart du temps, privés de travail.

J'avais été embauché dans un asile pour retardés mentaux. Pendant mes gardes j'avais six enfants sous ma responsabilité, dont certains mongoliens. Les malades ne m'aimaient pas ; moi non plus. Il fallait que je les emmène aux toilettes, que je les lave avec une brosse et que je surveille leur hygiène. Quand les filles avaient leurs règles, je les aspergeais d'eau, de loin. Je devais les conduire au réfectoire, dans les salles d'activité et dans leur misérable aire de jeux. Il m'arrivait parfois de les accompagner d'un bâtiment à l'autre. Il régnait une puanteur épouvantable ; à la longue je m'y étais habitué.

Je travaillais chaque jour et n'hésitais pas le week-end à prendre des doubles gardes. C'était très mal payé et seules les heures supplémentaires et les extra du shabbat me permettaient de percevoir un salaire décent. En dehors de ça, je n'avais pas grand-chose à faire. Je ne connaissais personne à part Adel, que je ne voyais que rarement car il était pris par ses études de droit autant que moi par mon travail.

Parfois, lorsque nous avions une soirée de libre, nous descendions à l'épicerie acheter la bouteille la moins chère et la plus alcoolisée puis nous la buvions sur le parking de la cité. Il voulait toujours parler de sexe ; il était obsédé par les filles. Pour finir, nous vomissions avant de regagner notre chambre ; si par chance l'un des occupants légitimes n'était pas là, on se partageait son lit.

Lorsque je n'avais pas envie de rentrer à la cité, il m'arrivait d'aller à l'université attendre Naomie, à la sortie du département de psychologie. Au début, j'avais voulu lui parler, lui dire que j'avais désormais un travail et de l'argent, que j'aurais aimé l'inviter au restaurant. Elle était tout le temps prise. Parfois, je la suivais de loin pour voir si elle avait un nouveau petit ami. Je voulais savoir si elle était aussi triste que moi. Peut-être m'aimait-elle encore. Peut-être lui manquais-je car cette séparation n'était due qu'à sa mère. Elle semblait heureuse ; elle était toujours entourée de garçons à la cafétéria ou à la bibliothèque.

À mon travail, on m'avait donné une carte d'autobus mensuelle ; j'en profitais pour voyager des heures entières près d'une fenêtre, le casque de mon walkman sur les oreilles, à observer les gens, les magasins et les voitures. Je descendais quand l'envie m'en prenait pour remonter dès que je le décidais. Je faisais attention à ne jamais voyager aux mêmes horaires ; je ne voulais pas que les chauffeurs ou les voyageurs habituels me remarquent. De temps en temps, plongé dans mes pensées, je m'assoupissais ; le chauffeur devait me crier que nous étions arrivés au terminus.

Je connaissais toutes les lignes. La destination et l'itinéraire de chaque bus. J'avais étudié toutes les possibilités pour me rendre à la cité universitaire et à mon travail. Je savais par cœur les horaires de chaque ligne et je connaissais tous les chauffeurs. Un beau jour, je me mis à baisser la tête en montant, gêné de les connaître trop. Je pouvais dire où étaient les bouchons, à quel arrêt allaient monter telle personne âgée, tel enfant, tel religieux, quelle ligne empruntaient les Arabes. J'essayais souvent de deviner où pouvaient se rendre les uns et les autres. À leur travail ? À l'école ? Au marché ? À l'hôpital ? Parfois, pour savoir où habitait un voyageur, je descendais avec lui et le suivais de loin, mon casque de walkman sur les oreilles. D'autres fois, j'allais jusqu'à la station de l'internat pour revenir aussitôt.

Adel m'avait aidé pour l'épreuve de mathématiques, pas bien difficile. J'avais obtenu mon diplôme et avais pu m'inscrire dans deux disciplines aux critères d'acceptation peu exigeants. J'aimais aller manger un *schnitzel* accompagné de riz à la cafétéria de

Givat Ram. À cette époque, j'étais bien loin de penser à la guerre.

3. Ce matin-là je m'étais levé, m'étais préparé un café et avais décidé de me marier

Quatre ans avaient passé depuis le jour où j'avais revu Samia à l'arrêt d'autobus devant le parking de la cité U. C'était une réfugiée, mais elle avait une carte d'identité bleue : leur village avait été détruit pendant la guerre et une partie de sa famille avait échoué à Tira. Nous nous étions mutuellement reconnus. Nous avions fréquenté la même école primaire mais dans des classes différentes. Jamais nous ne nous étions parlé. Je m'étais présenté, lui avais tendu la main et elle avait souri en me disant qu'elle savait qui j'étais. Je la trouvais pas mal. Je l'avais précédée en montant dans le bus ; j'étais allé m'installer à l'arrière. Comme je l'avais espéré, elle était venue s'asseoir à côté de moi. Jamais je n'aurais osé en faire autant avec une jeune fille arabe. Je suis un garçon bien élevé et réservé.

« Sais-tu comment on fait pour aller à l'hôpital Hadassah ? m'avait-elle demandé.

— Oui. Il faut aller jusqu'à la gare centrale puis prendre le 27 et descendre à la dernière station. Je vais t'accompagner », lui avais-je répondu.

C'était son premier jour à Jérusalem. Je sentais qu'elle avait besoin de moi. Je savais

157

me débrouiller dans les transports, je connaissais les noms des rues et les différents quartiers de la ville. J'aurais pu l'emmener en promenade – pourquoi pas dans la vieille ville, même si je n'aimais pas y aller – ; j'étais prêt à la conduire là où elle me le demanderait, même à la mosquée al-Aqsa. J'avais envie de lui offrir un cadeau. La convaincre que j'étais quelqu'un de bien, malgré tous les échecs que j'avais subis, surtout dans mes études.

Elle comprendrait que j'avais rencontré des difficultés et que j'étais déprimé ; peut-être, d'ailleurs, l'avait-elle déjà été elle-même ? Samia ne me connaissait que du temps de Tira, mais elle me savait intelligent. Elle avait été étonnée d'apprendre que je poursuivais des études de philosophie. Je lui avais expliqué que c'était par amour de la philo et que de toute façon, le travail ne manquait pas dans les hôpitaux ou dans les cabinets d'avocat. Mais elle finirait sûrement, avais-je poursuivi, par suivre un étudiant en médecine. C'est toujours comme ça : les médecins épousent les infirmières. J'avais ajouté que je comptais entreprendre un doctorat.

Une fois descendus du bus, je l'avais accompagnée à l'arrêt du 27 pour attendre avec elle. Je savais ce que signifiait un premier voyage dans un autobus de Jérusalem. Avant de nous séparer, elle m'avait indiqué où était sa chambre et moi le numéro de la mienne. Quand, dans la soirée, j'étais retourné à la cité U, j'avais commencé par chercher sa chambre dans les longs et étroits corridors. Elle était absente.

Comment avais-je pu oser ? Quel idiot étais-je ! Et qu'espérais-je, d'ailleurs ? Elle ne voudrait plus me revoir ; j'allais me mettre encore dans une situation impossible ; tomber une deuxième fois amoureux. Je ne pourrais penser à rien d'autre. J'allais encore foutre en l'air mes études. Rater la nouvelle occasion qui m'était donnée de prouver que j'étais encore capable de réussir, de passer mes examens comme avant, en obtenant les meilleures notes. Je venais à peine de surmonter ce qui s'était passé que je reproduisais la même erreur, sans avoir retenu la leçon.

En repartant vers ma chambre, je l'avais croisée dans les escaliers. Elle m'avait dit : « Cela fait plus d'une heure que je te cherche. »

Nous étions ensemble depuis quatre ans. Le moment était venu. J'allais boire mon café, la réveiller et lui dire que nous allions nous marier. Jusqu'à présent, elle avait habité à la cité universitaire et moi j'avais partagé un appartement à Nakhlaot avec des copains juifs. Maintenant que j'avais emménagé dans un quartier arabe, nous devions nous marier si je voulais que nous continuions à dormir ensemble. Sans cela, mon propriétaire qui habitait au-dessus n'aurait jamais accepté que nous partagions le même lit. C'était ainsi, un devoir. Je savais qu'elle ne me quitterait jamais ; donc pourquoi aurions-nous remis à plus tard ? À cette époque-là, je ne savais pas si elle restait avec moi par amour ou par résignation. Elle me rappelait tout le temps ma promesse de l'épouser. Jamais je ne me serais renié. Sa vie aurait été foutue. À Tira tout le monde savait que nous étions ensemble. S'il n'avait tenu qu'à elle, jamais elle ne serait sortie main dans la main avec moi et elle aurait encore moins couché avec moi. Elle m'avait dit qu'à Tira, les filles non vierges étaient renvoyées la nuit même de leurs noces chez leurs parents. Sa tante avait eu une attaque quand sa fille était revenue à la maison la nuit de son mariage ; elle avait seulement oublié sa brosse à cheveux !

Jamais je n'aurais pensé qu'elle aurait le courage de rester dormir chez moi le jour de mon emménagement dans un quartier arabe. Elle avait nettoyé la maison, nous nous étions présentés aux propriétaires comme fiancés. Chez les Juifs, nous étions tranquilles. Samia venait me voir et restait dormir quand elle le voulait. Mes colocataires l'aimaient bien et c'était pour eux tout naturel, à la différence des Arabes de la cité U qui passaient leur temps à médire et à propager des rumeurs. Des rumeurs fondées, certes, mais en quoi cela les regardait-il ? Elle me disait toujours : « Qu'est-ce que ça peut bien te faire ? Tu es un homme, tu ne risques rien, toi. »

Samia devait encore rendre un travail. Après quoi, elle comptait rentrer à Tira. Quelles perspectives une ville étrangère pouvait-elle offrir à une jeune fille arabe ? Son père lui avait trouvé un emploi à la mairie. Elle disait qu'elle avait à faire à Jérusalem. Ses parents n'étaient pas dupes et ils considéraient qu'elle aurait pu tout aussi bien terminer ce travail à la maison.

Je la regardais dormir. Belle, le visage, comme toujours, tourné vers le mur. Il était encore très tôt. Elle avait passé tout son temps la veille à faire le ménage.

Je lui avais dit : « Lève-toi ; nous rentrons au village ; nous allons nous marier. » Elle avait seulement répondu : « Quoi ? Maintenant ? »

J'avais pris deux jours de congé.

Papa ne s'opposait pas au mariage. Bien au contraire ; l'idée lui plaisait. Peu lui importait que je n'aie que vingt-deux ans. Il disait que Samia était d'une bonne famille. Des communistes, donc des amis !

Maman était heureuse. Une jeune fille diplômée ! Peut-être allait-elle me remettre dans le droit chemin. Petit à petit elle me convaincrait de retourner à l'université. Elle me sermonnait : « Combien de matières te reste-t-il ? C'est tout de même dommage après trois ans d'études. Tu n'as pas honte que ta femme soit plus instruite que toi ? Tu as encore de la chance qu'elle veuille bien t'épouser. »

« Les femmes sont la fierté du village », avait dit Grand-mère, qui connaissait bien les réfugiés pour avoir travaillé avec eux à la cueillette. « Amène-la, que je puisse au moins la voir ! », avait-elle ajouté, même si sa vue déclinait. Papa avait objecté que jamais personne au village ne s'était marié ainsi. « Ça ne s'improvise pas en deux jours. Et quand bien même on le voudrait, sûr que ses parents à elle refuseraient. Ils n'auraient donc aucun sens de l'honneur ? » Il vitupérait : « Nous ne réussirons pas à trouver une salle en un jour ; nous n'aurons pas le temps non plus de lancer les invitations. » Je lui expliquai que je souhaitais que la cérémonie soit simple et que, si j'avais pu décider seul, je me serais contenté de la présence du cheikh. Mes parents n'auraient jamais accepté à cause du qu'en-dira-t-on ; on aurait raconté qu'ils avaient fait moins que les autres. « Ça ne te suffit pas qu'elle accepte d'épouser quelqu'un qui n'a pas de maison ? Es-tu au moins certain que ses parents sont d'accord ? »

Les parents de Samia avaient consenti ; ils n'avaient pas le choix. La rumeur les avait décidés. Lorsque sa mère rendait visite à des familles endeuillées on lui parlait toujours de sa fille perdue qui était partie faire ses études à Jérusalem. À la mosquée où son père allait prier tous les vendredis, chaque sermon parlait d'elle. Son nom n'était pas prononcé mais chaque fois étaient évoqués ces parents indignes qui envoient leurs filles étudier à l'université où elles finissaient prostituées.

Mes parents ne renoncèrent pas à leur idée. Ils décidèrent d'inviter cent personnes par famille ; Papa organisa tout avec un restaurateur. Comme la coutume le voulait, ils achetèrent de l'or pour chaque jeune fille de Tira ;

ils nous donnèrent de l'argent pour aller choisir nos habits de mariage à Tel-Aviv. Samia acheta une robe dans la rue Schenkin et moi un costume chez Zara au Dizengof Center. Personne ne comprit très bien le sens de ce mariage. Pas plus ma famille que la sienne. Le cheikh se déplaça ; je signai sept fois. Selon la tradition, le père de Samia signa pour elle. Nous étions désormais mariés ; je n'attendais plus qu'une chose pour retourner chez nous : que tout le monde finisse de manger.

Le lendemain, Maman avait téléphoné ; elle me dit que les institutrices de son école qui n'avaient pas été invitées racontaient avoir entendu dire que nous nous étions dépêchés car Samia était enceinte et que nous avions voulu éviter que la honte s'abatte sur nous. Samia avait renchéri ; dans sa famille on n'avait pas non plus très bien compris s'il s'était agi de fiançailles ou de mariage, car d'habitude, pour les fiançailles on ne mange que des *kenafe*, alors qu'un vrai repas avait été servi. Elle avait objecté qu'une robe de mariée ne se porte que pour un mariage et qu'elle en portait une, de la rue Schenkin. Samia avait fondu en larmes ; elle disait que tout était ma faute, qu'elle savait bien que ce serait raté, que je ne pensais qu'à moi, que j'étais incapable de faire la moindre chose pour elle, que ses parents avaient été blessés et qu'ils étaient furieux qu'elle ne se soit pas mariée comme tout le monde.

163

Papa s'était lui aussi emporté contre moi ; il m'avait accusé de ne pas m'être conduit en homme. « Reviens la semaine prochaine pour qu'on répare ce désastre ! »

Nous avons donc fait un nouveau mariage. Les chèques-cadeaux couvrirent les dépenses de la salle, de la musique, du photographe, du millier de convives et de l'hôtel à Netanya. À part mes tantes et leurs enfants, je ne connaissais presque personne. Je n'avais d'ailleurs convié personne ; tous l'avaient été par mes parents et par ceux de Samia. Je portais un costume et des chaussures noirs, comme dans les films arabes. J'avais dû glisser l'anneau au doigt de Samia. Danser avec elle, bien que je ne connusse absolument pas la *debka*. Couper le gâteau. Embrasser des hommes dont j'ignorais le nom. Étreindre mes tantes, les siennes. Faire encore des sourires au photographe au son d'une musique épouvantable qui me donnait mal au crâne. Et tout cela sans tabac ni alcool. Car je suis un garçon bien élevé et réservé.

4. Beit Safafa

Quelques mois après notre second mariage, nous avons déménagé pour Beit Safafa. Autrefois un village, c'est aujourd'hui un quartier arabe de Jérusalem. Quel bonheur que d'être étranger ! Personne n'est là à vous épier. Nous n'intéressions personne ; une seule chose importait à notre propriétaire :

que nous payions notre loyer à temps. Nous nous retrouvions en terrain arabe, néanmoins nous nous ne sentions pas vraiment à l'aise. Nous n'avions pas de famille, pas d'amis et ne connaissions personne comme à Tira.

Notre maison se trouvait sur un territoire conquis en 1967. Il avait été dénommé *Givat Hamatos*[1] car pendant la guerre un avion israélien s'y était écrasé. Entre 1948 et 1967, il avait été coupé en deux par un long rouleau de barbelés. Des frères, des proches, des membres de mêmes familles vivaient de part et d'autre ; ils n'avaient pu se rendre visite pendant dix-neuf ans. La propriétaire disait que les soldats israéliens et jordaniens ne permettaient aux familles de se rencontrer et de se serrer juste deux doigts à travers les fils de fer qu'à l'occasion des fêtes et des mariages. Elle nous avait montré les photos d'un mariage célébré de chaque côté de la clôture et avait dit en riant que la moitié des membres de la famille habitait en Jordanie et l'autre en Israël. Maintenant les deux parties du village étaient entre les mains d'Israël. Seuls les habitants de la zone conquise en 67 possédaient une carte de résident ; ceux de celle conquise en 48 bénéficiaient d'une carte de citoyen, avec un statut privilégié. Ils étaient considérés comme plus intégrés. D'ailleurs, leurs maisons étaient plus imposantes. Il faut dire qu'en Israël le travail ne manquait pas.

---

1. Littéralement : la colline de l'Avion.

Ma femme et moi étions citoyens ; en vertu de quoi la propriétaire nous considérait avec respect ; nous avions une couverture sociale et parlions l'hébreu. Les maisons de la partie conquise en 67 étaient moins chères ; il n'y avait pas le tout-à-l'égout. L'eau et l'électricité étaient fournies par des sociétés arabes. Il y avait davantage de pannes. Lorsque la guerre[1] a éclaté, l'existence dans le secteur palestinien est devenue plus critique en raison des coupures d'électricité chaque fois qu'Israël bombardait Bethléem, Beit Jala ou Beit Sahour. Une grande colonie nous sépare des agglomérations bombardées, mais nous appartenons encore aux Palestiniens, en tout cas pour ce qui concerne l'eau et l'électricité. Depuis l'Intifada, la vie est devenue beaucoup plus difficile ; ma femme et moi commencions à regretter de ne pas avoir loué une maison dans la partie israélienne. Les loyers étaient plus chers, mais nous aurions très bien pu nous contenter d'une surface moindre.

Depuis le début de la guerre, davantage de soldats circulent dans la moitié palestinienne et les coupures d'électricité rendent l'hiver plus pénible, surtout pour notre fillette. Nous entendons les bombardements mais jusqu'à présent nous avons été épargnés. Dans le secteur palestinien de Beit Safafa le calme règne ; les Arabes citoyens savent que s'ils participent à l'Intifada, ils devront abandonner leurs

---

1. Deuxième Intifada.

appartements dont la location constitue leur principale source de revenus. Presque tout le monde de ce côté de Beit Safafa a libéré une pièce ou construit des maisons dans le but de les louer à des citoyens qui, comme nous, ont fui leur village pour la ville. Les gens s'identifient aux victimes bombardées à quelques centaines de mètres ; ils organisent des collectes d'argent et de jouets pour les enfants des camps de réfugiés, mais ils ne jetteraient jamais la moindre pierre sur les soldats juifs envahisseurs. C'est terrible de voir ce que les gens sont prêts à faire pour survivre.

Nous avons un modeste appartement, avec une cuisine et une petite salle d'eau. Notre fille dort dans notre chambre. À chaque fois qu'un Juif est tué, la propriétaire prépare un *basboussa* et elle nous en apporte dans une petite assiette ; elle ôte le foulard dont elle est coiffée pour le poser sur sa bouche afin d'étouffer ses cris de joie.

Notre propriétaire est une réfugiée de Kfar Malhah. Parfois il lui arrive de monter sur le toit pour voir sa maison, à deux pas de la mosquée. En 1948, elle s'était enfuie vers la partie sud de Beit Safafa devenue jordanienne ; depuis 1967 elle travaille à l'université, en tant que responsable en chef des toilettes de la fac de droit. Lorsque la guerre a éclaté, comme chaque vendredi son frère était en train de prier à la mosquée al-Aqsa ; il avait été tué. Il était plombier et possédait une petite Fiat. Sa sœur l'appelait au secours chaque fois que nous avions quelque chose de bouché. À la naissance de notre fille, il était venu avec sa femme et ses enfants ; ils nous avaient apporté un cadeau.

5. La mode sur le câble

Je suis vautré sur le canapé à regarder sur la chaîne cablée une émission de mode. Des robes de mariée virevoltent sous mes yeux. J'essaie de me rappeler mon mariage ; je suis trop saoul. Le mariage du frère de notre propriétaire. En petit comité, sans banquet ni musique. En une demi-heure tout était fini.
Une fois de plus j'entends tirer dehors et une fois encore, une coupure de courant réveille ma femme. Je n'arrive pas à comprendre pourquoi elle s'agite dès qu'il y a du silence ou de l'obscurité. Elle m'appelle de la chambre à coucher, forçant la voix pour que je l'entende ; mais pas trop afin de ne pas réveiller la petite. Elle me dit : « La bougie est sur la télévision. »
L'été, on entend mieux les tirs et les obus ; la nuit c'est encore plus flagrant. On reste assis là à deviner où ils ont pu tomber. On imagine les hélicoptères cherchant leur cible, avant de plonger et de tirer. Les aviateurs sont des as ! Ils ont probablement mon âge ; eux sont beaux et ont un corps d'athlète. Cette nuit, une fois leur travail terminé, ils descendront de leur avion et retireront leur casque avant de se recoiffer d'un geste

théâtral. Leurs cheveux sont clairs ou blonds ; difficile de voir dans le noir. L'alcool m'empêche décidément de me concentrer.

Nouvelle rafale de tirs ! L'ombre de ma femme penchée sur le mur m'effraie, un instant. En bâillant, elle me dit : « Qu'est-ce qu'on fait ici ? On reste là passifs dans notre coin. Comme si ça ne nous concernait pas. » Je lui dis : « Demain j'appellerai la compagnie d'électricité. Ça ne peut plus durer. Je vais les traîner en justice. »

Je poursuivrai aussi mon père pour m'avoir donné de faux espoirs. Pour m'avoir trompé. Quand je pense qu'il me faisait chanter : « À notre terre, chantons, l'étendard dressé. Entonnons à la gloire de notre terre des chants merveilleux. » Je le poursuivrai pour m'avoir fait croire pendant la guerre du Liban que les ténèbres laisseraient place à la lumière. Il me fait bien rire lorsqu'il s'exclame, à chaque fois que Gaza et Ramallah sont bombardés : « Maintenant ça y est ! C'est fini pour eux ! » Je me souviens quand jadis on chantait nos chants de liberté et d'unité nationale. Je me rappelle que Papa haussait la voix quand nous entonnions « La révolution populaire est le chemin de la victoire ».

Jamais je ne lui pardonnerai de nous avoir fait croire que nous pourrions vaincre l'ennemi avec des pneus et des pierres.

Dans mon cœur, plus le moindre espoir. Je suis plein de haine. Je hais mon père qui m'a condamné à rester vivre en Israël ; lui qui nous a appris que nous n'avions pas d'autre endroit où aller, que mieux valait mourir sur cette terre à laquelle nous n'avions pas le droit de renoncer. Je me vois lui dire tout ce que j'ai sur le cœur : que sans toutes ces bêtises qu'il nous a inculquées, je serais parti depuis longtemps. Maintenant, il doit être aussi ivre que moi ; lui s'attache encore quelque espoir. Autrement, il mourrait. L'espoir s'amenuise mais il couve. Comme quand il ne peut s'empêcher de pleurer à chaque attaque sur Nazareth. Il dit que la souffrance annonce la délivrance ; comme lorsqu'il était en prison.

J'ai oublié la dernière manifestation à laquelle j'ai participé. En l'honneur de quoi pouvait-elle être ? La journée de la Terre, le jour de la *Naqba* ou tout simplement à la mémoire d'ouvriers arabes assassinés à un carrefour. Je me souviens que, toute la nuit, mon père et ses camarades avaient rédigé des tracts et fabriqué des banderoles. J'étais avec eux ; je leur apportais les feutres de la couleur que réclamait Papa. Je n'avais reconnu que mon professeur de mathématiques ; lui avait fait comme s'il ne me connaissait pas. Ils s'écriaient : « Dehors Pérès ! Dehors Sharon ! C'est notre terre, nous y restons. » Ou encore : « Le lièvre du Golan s'est transformé en lion au Liban. » Papa avait dit que c'était pour Hafiz al-Asad. Ils écrivaient aussi : « Mère de martyr réjouis-toi ! Tous les enfants sont les tiens ! » Papa et ses camarades avaient dessiné des drapeaux palestiniens ; à mes frères et à moi ils nous avaient demandé de colorier les cases en vert, noir, rouge et blanc. J'apprenais pour la première fois à dessiner un drapeau et nous nous disputions pour savoir lequel, du vert ou du noir, se plaçait au-dessus. Papa avait dit : « Cela n'a aucune importance, c'est l'intention qui compte. » Le lendemain j'avais déjà oublié l'intention. Papa nous avait dit que, nous aussi, nous devions participer à la manifestation. Une camionnette avec des haut-parleurs était partie de chez nous ; avec mes frères et quelques amis de mon père, nous l'avions suivie avec nos banderoles. La voix de Papa résonnait dans le haut-parleur ; des gens avaient commencé à se joindre au défilé derrière la camionnette. Personne ne semblait manquer au rendez-vous. Peu à peu, c'était devenu une immense marche. Mes frères et moi tentions de conserver notre place, près du véhicule et de Papa. Lorsque nous étions passés devant notre maison, Maman et Grand-mère nous attendaient avec des cruches et des bouteilles d'eau pour désaltérer les manifestants. Les larmes aux yeux, Maman disait : « Que Dieu vous bénisse. » Elle nous avait arrêtés pour tendre à Papa un verre de cette eau glacée qu'il aimait.

Ma femme me demande : « Que va-t-il arriver ? La guerre ? » Je n'ai qu'une envie : qu'elle retourne dans son lit ; je viens à peine de commencer à déshabiller ma première aviatrice de combat. Soudain une effervescence semble agiter le quartier juif derrière chez nous. On entend la foule se rassembler et s'avancer sur la route un peu plus haut. La maison que nous louons est assez isolée ; c'est la plus proche des Juifs. Le propriétaire qui habite au-dessus de chez nous vient frapper à la porte, les traits tirés, une lampe de poche à la main. Il dit : « Les Juifs attaquent. »

La rumeur enfle. Les réverbères éclairent la route ; je peux voir les Juifs affluer en direction de notre maison. Il n'est pas bon de rester ici ; les propriétaires nous proposent d'aller dans la vieille maison paternelle au milieu du village où nous serons davantage en sécurité.

Ma femme se met à pleurer ; je la rassure : « On rentre à la maison. » Je vais prendre notre fille dans son lit ; elle se met à hurler, je l'enveloppe dans une couverture et nous partons. J'espère que la route n'est pas encore bloquée. En cas de barrage, je dirai aux policiers que je suis citoyen ; je ne fais que louer un appartement ici. Je leur montrerai mes papiers. Je les ai fait faire au ministère de l'Intérieur de Netanya. Je ne suis pas un Palestinien. Je leur dirai que la petite est malade. Lorsque nous arrivons dans la partie éclairée de la ville, je me sens soulagé. Ils ne vont pas me reconnaître. J'ai vraiment l'air d'un Juif. Pourvu qu'ils ne voient pas ma femme ! J'aurais quand même pu trouver quelqu'un de moins typé ! Elle cherche à calmer la gamine, en arabe ; je lui crie de se taire si elle a envie de vivre. Les Juifs ne sont pas encore là. Ceux que nous croisons, après avoir jeté un regard suspicieux à l'intérieur de la voiture, semblent rassurés en me voyant. Il faut absolument partir d'ici. Heureusement que je ne suis pas de ceux qui accrochent un chapelet à leur rétroviseur ; je n'ai ni *hamsa*[1] ni inscription en arabe sur la carrosserie. J'ai une voiture plutôt juive : une Subaru. Encore heureux que ce ne soit pas une Peugeot ou une vieille Opel Ascona ! J'ai toujours été assez discret. Sur le poste de radio, je fais défiler les stations arabes ; je m'arrête sur Galei Tsahal[2] ; j'augmente le son jusqu'à ce que nous soyons sortis de la ville. Des mosquées brûlent ; les balles pleuvent sur les villes et les villages. Il y a des morts. Une douleur bizarre me saisit aux articulations des jambes et des mains ; comme si le froid les engourdissait.

J'entame la descente vers Jérusalem ; plus vite que je ne l'ai jamais fait dans cette petite voiture. J'ai toujours eu peur de m'écraser dans les descentes de Motsa Takhtit à Motsa Ilit et de Mevaseret à Abou Gosh. Sur la route, tout semble normal. De temps en temps je croise les phares d'une voiture ; je guette les camions chargés de tanks recouverts de filets et de camouflages verts. À Shaar Ha Gaï, en général, j'accélère ; aujourd'hui je reste

---

1. « Cinq », en arabe. Il s'agit des cinq doigts de la main de Fatma, la fille du Prophète. Elle écarte le mauvais œil.
2. Chaîne de radio de l'armée israélienne.

prudent ; même les agents de la circulation peuvent être dangereux. Il ne manquerait plus qu'un policier me demande mes papiers, qu'il découvre qui je suis !

6. Les jours d'attentat

À chaque attentat ma femme dit qu'il faut que nous fassions des économies. Nous n'avons vraiment pas besoin du câble ; pour la même somme, nous pourrions acheter chaque année quelque chose d'utile. Plutôt que de regarder la télévision, nous pourrions changer de canapé par exemple. Elle s'emporte : « Si on peut d'ailleurs appeler ça un canapé ! » Nous aurions aussi besoin d'un nouveau four. D'un micro-ondes pour réchauffer les plats de la petite. Elle ne réclame pas un canapé de luxe ; un tout simple lui suffirait, elle en a vu de très bien aux Meubles du Golan à Talpiot. Il est, en effet, préférable de ne pas acheter de meubles chers, nous déménageons chaque année, ou tous les deux ans ; tout est toujours abîmé. La dernière fois, les déménageurs ont cassé la poignée du réfrigérateur et ils ont été incapables de remonter la penderie. Ma femme dit que nous nous offrirons mieux lorsque nous retournerons à Tira. Pour l'instant, de la maison il n'y a que les murs, mais grâce à mes parents elle pourrait être finie en moins de un an. Son père se chargera de l'équipement électrique. C'est comme ça : l'homme

174

construit ; la femme apporte l'électricité. Pour sa petite sœur, son père avait acheté des appareils de la meilleure qualité, très chers. Il est pourtant assez avare ; mais il faut bien donner bonne impression aux étrangers, et à moi.

Si je ne retourne pas maintenant à Tira, toutes les économies de mes parents iront à mon petit frère. Il a fini ses études ; il compte rentrer au village. Il rejoindra notre aîné qui s'est marié il y a un an et demi et qui habite déjà dans sa propre maison, grande et belle, avec un jardin, derrière la demeure paternelle. À côté, les murs de deux autres bâtisses semblables, l'une pour moi, l'autre pour mon petit frère. Ma femme ne comprend pas pourquoi je me trouve aussi bien à Beit Safafa, cerné par ces horribles Juifs, de Guilo, de Shkhounat Pat et de Qatmonim. Au moins à Tira on n'entend pas les hélicoptères et les automitrailleuses. L'électricité n'est pas coupée chaque fois que Beit Jala est bombardée. Elle dit qu'elle ira travailler à la mairie. Aujourd'hui elle en a assez ; chaque fois qu'il y a un attentat, plus personne à son travail ne lui adresse la parole. À Tira, on recrute des assistantes sociales. Il y a là-bas beaucoup de problèmes ; on en manque cruellement.

Avant de se fiancer mon petit frère m'avait demandé si je comptais revenir ; il préférait prendre la maison qui avait été prévue pour moi. Cela lui permettait de faire de grosses économies. Il avait l'intention de se marier rapidement. Il s'était fiancé à une fille d'Ara avec qui il avait fait ses études ; la distance qui les séparait leur était pénible. Je l'avais rassuré ; je lui avais dit qu'il pouvait même prendre les deux maisons, que jamais je ne reviendrais.

Je ne parviens pas à comprendre d'où Papa a pu tirer l'argent pour ces trois maisons. J'étais persuadé qu'il ne possédait rien. Il m'avait toujours reproché le coût de mes études ; il trouvait que je perdais mon temps. Il disait : « Si au moins il s'agissait d'une spécialité utile ! » Dès la première année de fac, j'avais commencé à travailler. Je ne voulais pas vivre à la cité universitaire ; Papa m'avait dit que je n'avais qu'à me trouver du travail.

Ma femme me dit que nous devons faire des économies comme mes parents l'ont fait : « D'où crois-tu qu'ils ont tiré tout cet argent ? » Elle a évalué la valeur de leurs biens, leurs maisons et leurs terres ; elle estime qu'il y en a pour plus de un million de dollars. Elle ne cesse de me répéter qu'il faut que j'arrête d'être à ce point naïf. Depuis le mariage de mon grand frère, il y a à peine un an, ils ont certainement réussi à économiser dans les cinquante mille dollars. Si je continue, je n'aurai rien ; il ne faut pas que je compte sur mes parents.

Lorsqu'un hélicoptère survole la maison, je me dis que ma femme a raison ; il est peut-être temps de rentrer à Tira. Maintenant, il faut oublier Jérusalem, passer à autre chose. Si je ne rentre pas, je serai obligé d'attendre après le mariage de mon frère qu'ils finissent de meubler la maison. C'est maintenant ou jamais. Là-bas la vie ne peut être que meilleure, plus simple. Ma femme dit que je n'aurai plus besoin de me cacher ; je n'aurai plus rien à dissimuler. Que je boive ou que je fume, mes parents le savent. D'ailleurs, elle n'a jamais compris pourquoi un homme marié de vingt-cinq ans pouvait encore craindre que ses parents ne découvrent qu'il fume. Une seule fois, j'ai demandé une cigarette à Papa ; le jour où ma femme accouchait.

Ma femme dit que je n'aurai qu'à cacher les bouteilles dans le placard, comme mon père. Il boit beaucoup et il a toujours du vin dans l'armoire de la chambre. Je n'ai jamais osé me servir ; j'en ai eu plus d'une fois envie. Autrefois, quand Grand-mère en avait encore la force, elle prenait les bouteilles et elle les cassait dehors en ameutant tout le quartier. Elle disait : « Il dépense tout son argent dans l'alcool au lieu de l'économiser pour ses enfants ! Est-ce que c'est comme ça qu'ils pourront aller à l'université ? Qui leur construira leurs maisons ? » Elle ne s'arrêtait de hurler que lorsque son visage devenait écarlate et que sa voix s'enrouait. Grand-mère disait que la coupable était ma mère. Elle était incapable de surveiller son mari. Elle restait là, assise avec lui, ravie de le voir boire. Elle ne s'occupait pas des enfants, ne pensait qu'à s'habiller et à aller au restaurant. Chaque bouteille qu'il buvait, chaque chemisier qu'elle s'offrait, cela faisait un poulet de moins pour les enfants.

7. Une maîtresse arabe

Dès que je mets un pied dans la cuisine, je me dis qu'il me faut une maîtresse. Ma femme est au courant. Elle m'avait dit peu après son accouchement que cela lui était égal. Elle ne serait pas gênée que je l'amène chez nous. Elle me dit que l'islam le permet ; c'est ce qu'on appelle « un mariage de plaisir ».
Cela fait plusieurs mois que ma femme se plaint que je ne la supporte plus. Je ne la contredis pas ; je n'ai jamais pu la supporter ; mais ces derniers temps, moins encore. Elle me demande ce qui a changé ; je n'ai pas de réponse. Je lui dis que pour moi, rien n'a changé. Ce doit être elle qui est plus sensible depuis qu'elle est mère.
Je cherche une maîtresse arabe, mariée de préférence. Une femme qui me comprenne, avec qui je puisse parler. Une divorcée ou une célibataire ; qu'elle connaisse la vie. Je pourrais mettre une petite annonce dans le journal. Ça ne doit pas coûter bien cher. Mais j'ai peur des laiderons ou des curieux qui chercheraient à savoir qui est le pervers derrière l'annonce. Ils pourraient répondre, m'envoyer une photo par la poste, me donner rendez-vous dans un café ; un de mes voisins entrerait et je deviendrais la risée de tout Beit Safafa.

Ma réputation est suffisamment mauvaise avec tous les échecs que je trimballe derrière moi. Un chauffeur de taxi qui m'avait un jour conduit à la maison avait dit en entendant mon nom : « Ah ! C'est vous qui rentrez complètement saoul tous les soirs chez vous ! » Beaucoup de chauffeurs de taxi sont originaires du village ; ils travaillent de nuit dans le centre-ville. Ils me dévisagent chaque fois que je quitte le bar pour rejoindre ma voiture. Maintenant je sors toujours avec deux ou trois sacs d'ordures, pour qu'ils comprennent que le bar est mon lieu de travail ; je ne passe pas seulement mon temps à dépenser de l'argent.

Malheureusement j'ai abandonné l'idée de me trouver une maîtresse à Beit Safafa. Parfois, lorsque nous sommes à Tira, ma belle-mère raconte l'histoire de telle ou telle femme mariée surprise avec un voisin ou un étranger. Cela m'étonne toujours que des Arabes puissent tromper leur mari. Je les admire. Leur fin est toujours tragique. Souvent, elles se font surprendre dans la plantation de Telmond ou de Ramat Ha Kovesh. Les plantations ont de tout temps été des lieux propices aux commerces interdits. J'en ai entendu des histoires, au sujet de ces plantations ! Poursuites, voitures volées incendiées, cadavres abandonnés ; quand ce n'étaient pas des jeunes filles retrouvées pendues à des orangers ou à des avocatiers. Si de telles choses se passent à Tira, il s'en passe sûrement au moins autant à Beit Safafa ; à cette différence près que nous n'en savons rien car nous sommes étrangers. Ici pas de plantations ; je n'ai toujours pas réussi à savoir où les Arabes peuvent bien commettre leurs crimes. Des fois, je pense au centre commercial de Malhah ou au Zoo biblique.

Où pourrais-je bien emmener ma maîtresse, si j'en avais une ? Tous les endroits auxquels je pense ne sont vraiment pas assez discrets, trop dangereux, trop en vue. Des Arabes partout, dans les cafés et dans les bars. Beaucoup sont employés dans des restaurants de la ville. Quelqu'un pourrait la reconnaître. Et moi. Si j'osais, je l'emmènerais dans la forêt de Jérusalem. Nous trouverions un coin tranquille ; garerions la voiture puis marcherions sur un sentier. Nous nous assiérions pour bavarder en regardant le paysage. À la nuit tombée, nous pourrions flirter dans la voiture. Cela m'a toujours fait fantasmer. Peut-être aurait-elle la BMW ou la Volvo de son mari. Mais je n'irais jamais en forêt. On pourrait nous voler la voiture ; il nous faudrait marcher au moins cinq heures pour rejoindre la ville. Si nous étions assassinés par des Arabes, personne ne pleurerait ; surtout pas eux. Ils diraient que c'était la volonté de Dieu ; que Dieu avait voulu nous punir de nos crimes. Mieux vaut encore finir pendu au cœur des plantations de Telmond plutôt que de mourir confondu avec un Juif ; qui plus est en compagnie d'une maîtresse. Mais comment auraient-ils pu savoir que nous étions arabes, nous qui flirtions dans la forêt ? Je suis d'ailleurs à peu près certain qu'elle n'aurait pas porté le voile.

Je ne suis pas beau ; ma femme me trouve pas mal. Elle dit pourtant que je n'ai pas de cou, que j'ai une trop grosse tête. Qu'il faudrait que je me tienne plus droit pour gagner cinq centimètres. Elle m'a acheté en pharmacie un appareil censé maintenir le dos ; il n'a pas duré plus d'une semaine. On ne peut pas dire que je sois gros, mais j'ai des bajoues. Quand je me regarde dans ma glace, je me dis qu'il me faudrait les perdre. C'est disgracieux ; quand bien même je maigrirais, elles resteraient. Ma femme dit que c'est morphologique, qu'il n'y a rien à faire. J'essaie de ne pas trop manger ; le cas échéant, je me force à vomir. Pas question de sortir de chez moi, même pour me rendre à l'épicerie, avant d'avoir vomi. Ma femme me trouve mal foutu, une énorme tête sur un corps maigre. Je devrais grossir un peu.
Il me faut une maîtresse de toute urgence. Trop longtemps avec la même femme ! Ça ne peut plus durer. On parle tout le temps à la télévision de l'alchimie de l'amour qui cesse d'agir après quatre années passées avec le même partenaire. Cela fait déjà plus de deux ans et demi qu'une maîtresse me manque cruellement ; ce doit être pour cela que je vomis. Ma femme me dit que si je ne change pas, je ne pourrai jamais en trouver une. Je suis bien trop paresseux ; je ne me donne pas même la peine de vider un cendrier. Je suis

trop égoïste pour pouvoir investir dans une maîtresse. « Tu dois faire un effort », mais je ne comprends pas ce qu'elle entend par là. Elle dit : « Investir, investir sentimentalement, tu en es incapable ! Pour toi, advienne que pourra ! Pourvu que tu trouves une maîtresse ! Comme elle souffrira ! Au moins je ne serai pas la seule à te supporter. Et elle pourra m'aider avec la petite et la maison. » Des fois ma femme me trouve adorable ; je suis pour elle le meilleur des hommes. D'autres fois je deviens le monstre d'une famille détestable, incapable d'aimer ; qui ne songe qu'à se saouler. Elle repense souvent à notre première rencontre ; je lui avais tant plu. À ce vendredi où j'avais rapporté des tomates, de la salade et des concombres du supermarché pour lui préparer une salade avec un *Schnitzel.* Aujourd'hui elle dit qu'elle rit encore d'avoir pu croire que j'étais différent.

8. Pas fait pour l'amour

Mon père dit toujours que je suis sans cœur, que je ne suis pas fait pour l'amour. Ma femme est d'accord avec lui. Elle dit qu'elle n'a jamais rencontré un homme aussi indifférent et insensible. Je suis égocentrique, incapable de m'intéresser aux autres. Elle me déteste ; je n'ai pas idée à quel point. Elle aimerait que l'on me découvre un cancer, que je meure le plus vite possible. Elle ne peut

plus me voir en peinture. Je lui pèse tellement. Si au moins je mourais. Après ma mort,
elle n'attendrait pas pour se remarier. À cause
de moi elle a perdu toute joie de vivre. Je l'ai
détruite, minée ; je l'ai rendue dépressive et
vieille avant l'âge. Si seulement je pouvais
avoir un accident de la route pour en finir.
Et que je n'en réchappe surtout pas infirme !
Que le coup soit fatal. Peu lui importe que
j'agonise pendant deux jours. Au contraire
même, elle se réjouirait de me voir souffrir.
Elle resterait à l'hôpital, près de moi allongé
dans le coma. Elle me tiendrait la main ; pleurerait devant tous ceux venus me rendre une
dernière visite. Mais dès que nous serions
seuls, elle sourirait, radieuse. Contente de
savoir que je la vois. Elle dit qu'elle me rica-
nerait à l'oreille : « Tu as ce que tu mérites,
salopard ! »
Elle en avait versé des larmes, la première fois
que nous avions fait l'amour ! Le drap dans
la chambre de la cité universitaire était
maculé de sang. Elle avait pleuré pendant
toute la nuit. Assise sur le lit, les genoux
repliés et la tête enfouie dans ses bras, elle
sanglotait. J'étais persuadé que la mort seule
arrêterait ses pleurs. C'était terrible ; je ne
pouvais rien faire. J'étais resté près d'elle ;
impuissant, tétanisé. À répéter que je l'épou-
serais si elle le voulait. Que j'étais prêt à le
faire sur-le-champ. Était-ce ma faute si je
n'avais que dix-neuf ans ?
Elle ne pouvait plus rentrer chez elle. Impossible sans hymen. On la tuerait ; on me

tuerait. Plus personne ne voudrait l'épouser. Il n'y avait que moi. Les femmes sans hymen sont renvoyées chez elle la nuit du mariage. Elles sont reçues à coups de pied à la maison. Une honte !... Une marchandise défectueuse dont il faut se défaire. Je n'aurais jamais pu faire cela. À personne. Jamais je ne l'aurais laissée souffrir par ma faute. Je l'avais déflorée et j'en assumais la responsabilité.

Ma femme poursuit : « Jour maudit. Quelle idiote ! Maudites soient les circonstances qui m'ont forcée à rester avec toi. Chien ! Mais même un chien a plus de sentiments que toi ! Si seulement tu pouvais mourir ! Je serais enfin débarrassée ! À quoi bon faire semblant de t'aimer ? » Elle s'échauffe et insulte ses parents et sa famille ; à cause d'eux, elle ne peut plus se débarrasser de moi. Elle dit en mimant les coups de poing et les gifles que si elle en avait la force, elle me tuerait ; elle m'étranglerait. Elle me frapperait la tête contre le mur, jusqu'à ce qu'elle se brise. Je n'ai pas idée à quel point elle me hait ; rien que ma vue lui est insupportable. « Je te hais, je te hais. Tu n'es qu'un chien. »

Des fois j'ai envie de prendre avec moi quelques vêtements et des livres que je n'ai pas lus depuis longtemps mais que j'ai aimés sans trop savoir pourquoi, de réparer la radio de la voiture et de m'en aller. Pour quelques jours, à Eilat pourquoi pas. Je n'y suis jamais allé. Si j'avais le courage de passer la frontière, j'irais dans le Sinaï. N'était ma fille, jamais je ne reviendrais.

J'ai compris, avec le temps, que l'on s'était bien moqué de moi. Que l'hymen des Arabes n'est ni si pur ni si sacré qu'on me l'avait répété. Pendant toutes ces années elle m'avait bien eu. Elle avait profité de ma naïveté, de ce que j'étais éloigné de ma famille, de mon inexpérience ; elle m'avait convaincu de cette affaire d'honneur et de mort. Tant d'années de peur et de mystère ! Des nuits entières, à Nakhlaot, sans parvenir à m'endormir ; même si personne, là-bas, ne me connaissait. J'étais certain que l'on me retrouverait ; que ce serait la fin. Jamais je ne restais chez moi sans fermer la porte à clef ; jamais je ne dormais la fenêtre ouverte. Non pas que cela m'eût sauvé. Si quelqu'un avait voulu venir me trouver, rien ne l'aurait arrêté. Mais je devais tout faire pour retarder l'échéance ; pour hurler à qui serait venu : « Je suis prêt à me marier sur-le-champ ! »

Je serais incapable de dire à ma femme : « Si seulement tu pouvais mourir ! » – bien que je l'aie, plus d'une fois, imaginée morte. Je sais pertinemment que je ne pourrais surmonter cette perte. Que soudain, une fois qu'elle aurait disparu, je me mettrais à l'aimer. Elle me manquerait ; je comprendrais alors qu'elle aurait eu raison, quel salaud j'avais été. S'il devait lui arriver quelque chose, je ne me le pardonnerais pas. Sa mort me poursuivrait partout. J'y avais pensé ; elle serait arrivée à cause de moi. Car au fond, je

185

la souhaitais. Je crois fermement que ce que l'on souhaite finit toujours par se produire. Si elle mourait, j'irais sur sa tombe le plus souvent possible. Pas, comme les autres villageois, seulement les matins de fête. Au début je m'y rendrais au moins une fois par semaine. Je pleurerais, je lui parlerais, j'implorerais son pardon, je lui dirais des mots d'amour. Je sangloterais de tout mon cœur. Je souffrirais. Je m'imagine les jours de pluie, assis seul dans le cimetière, dans le froid et sous la pluie, recroquevillé dans un long manteau noir, que je n'ai pas. Je ne craindrais pas de m'y rendre la nuit. Je porterais une barbe qui me donnerait une certaine grâce ; une expression de souffrance. Je hurlerais près de la tombe ; les gens entendraient ma douleur. De temps à autre, je laisserais échapper un long gémissement ; il résonnerait dans tout le cimetière.

9. Le fond du gouffre

Je pense avoir atteint le fond du gouffre. J'ai enfreint presque toutes les règles imaginables de la morale. À présent, j'ai envie de rentrer me coucher ; à la maison. J'aimerais m'endormir avec la radio en bruit de fond. Mais je n'ai pas de radio. Cela fait belle lurette qu'elle est cassée et l'idée d'aller chez le réparateur et de ce que cela va me coûter me retient. J'aimerais tant aller dormir, ne plus penser à rien.

J'ai parfois l'intuition de ce que pourrait être une véritable quiétude. J'arrive assez bien à me l'imaginer. Alors je sais ce à quoi j'aspire. Je voudrais entrer dans mon lit avec un livre. Un livre léger, de blagues, pourquoi pas, ou de bandes dessinées. J'aimerais avoir du plaisir et m'endormir le sourire aux lèvres. Que le livre me glisse doucement des mains ; tombe sur le lit sans que je m'en rende compte. Que les draps procurent à mon corps une chaleur idéale. J'aimerais dormir installé confortablement. Que les oreillers soient à la bonne hauteur pour que mon cou ne me fasse pas mal ; sans avoir besoin de changer de position. Ne plus rien entendre. Avoir la tête légère. Trouver le juste repos.

J'aimerais que ma femme soit avec moi, partage mon sommeil et ma sécurité. Que nos corps s'harmonisent. Elle poserait sa tête sur ma poitrine. Son cou serait détendu ; ses cheveux n'agaceraient ni mes yeux ni ma bouche. Je l'enlacerais ; je glisserais la main sous sa tête sans qu'elle s'engourdisse ni ne me fasse mal. Je mettrais une jambe sur ses hanches sans la gêner. Cela lui plairait, au contraire ; lui tiendrait chaud ; la rassurerait. Ses hanches minces et fraîches seraient pour moi un doux coussin. Elle me sourirait, me dirait « je t'aime » en m'embrassant avec passion. Le baiser me replongerait dans mes rêves d'enfance. Je sourirais dans mon sommeil ; ma femme me rendrait mon sourire et s'endormirait. Dans son lit, la petite saurait qu'elle a des parents qui s'aiment ; qu'elle

187

pourrait toujours compter sur eux. Ses lèvres esquisseraient un sourire angélique ; ses langes seraient secs. Elle voudrait nous parler, nous dire à quel point nous sommes extraordinaires ; combien elle nous aime. Ses fesses ne lui démangeraient pas, ses yeux ne l'irriteraient pas. Jamais elle ne pleurerait. Elle ne s'ennuierait pas. Se sentirait bien, heureuse de vivre. Elle dormirait jusqu'au matin, nous réveillerait à la bonne heure en riant. Elle balbutierait son premier mot. « Papa » peut-être. Ma femme ne m'en voudrait pas ; elle me serrerait dans ses bras. Elle me dirait qu'elle a toujours su que notre fille prononcerait d'abord mon nom ; je suis si gentil avec elle. Je la couve de tant d'amour.

J'arrêterais de boire. Juste un petit verre le vendredi soir. J'achèterais une bonne bouteille chez un caviste ; pas au supermarché. Une boutique réputée dans un bon quartier. Une où n'entrent pas les travailleurs roumains ; où on ne peut trouver de Goldstar. Nous posséderions un service de verres que les parents de ma femme nous auraient offert. Cette bouteille serait trop pour deux ; nous inviterions un couple d'amis. Nous ferions un bon et copieux repas ; nous ne serions pas malades. Nous mangerions raisonnablement pour ne pas grossir. Le vin s'harmoniserait à merveille à la nourriture. Peut-être terminerions-nous par des pâtisseries qui parachèveraient notre plaisir. Douces aux palais et digestes. Nous les dégusterions sans l'ombre d'un remord.

Je ne penserais plus aux femmes ; je ne regarderais plus les fesses des filles. Je m'adresserais à elles avec respect ; je les écouterais sans arrière-pensées. Je cesserais de me masturber ; je ne chercherais plus les scènes de baise à la télévision. Si un film de qualité en montrait, je les qualifierais d'art. Elles ne m'exciteraient pas le moins du monde. Mes mains resteraient à leur place. Le plaisir avec ma femme me comblerait. Elle saurait exactement ce que j'aime. Je l'aimerais ; ne désirerais qu'elle. Son long cou, son visage de gitane, sa taille idéale. Nous nous comprendrions ; nous saurions tenir compte l'un de l'autre ; nous jouirions ensemble ; nous recommencerions avec autant de plaisir. Nos nuits seraient blanches ; à ne faire que l'amour jusqu'au petit matin. Elle n'aurait pas la moindre inhibition ; je ne la décevrais pas. Je vais maintenant entrer à la maison. Je conduirai lentement, sans forcer sur la pédale. Je dois être le plus discret possible. J'espère qu'aucun voisin n'est en chemin pour la prière du matin. Il doit être encore très tôt ; les ouvriers ne doivent pas être déjà à attendre devant l'entrée de la ville. Je baisserai la tête. Ne fumerai pas de cigarette ni n'écouterai de musique. Puis j'irai me coucher et demain sera une autre histoire. Vous verrez.

Demain je recommencerai à prier. J'ai oublié comment on fait ses ablutions avant la prière ; ce que l'on doit dire. Je ne me souviens plus de l'ordre ni du nombre des prières. J'irai acheter un manuel illustré ; comme à l'école primaire. Je n'en serais sûrement jamais arrivé là si j'avais continué à prier. Regardez-moi ! Voyez où j'en suis. Moi qui autrefois incarnais tant d'espoirs. Quel gâchis ! Je veux me prouver que je vaux mieux que ça ; alors je rentrerai chez moi, à Tira.

Je n'ai pas la moindre idée de ce que j'y ferai. En tout cas, je ne pourrai pas y être barman ; là-bas on ne vend pas la moindre goutte d'alcool. Mon père m'assure que je pourrais devenir travailleur social ; ils en manquent au village. Ma femme et moi pourrions aller au travail ensemble chaque matin et rentrer ensemble à la maison. Je pourrais peut-être devenir instituteur. Si demain je recommençais à prier, j'aurais encore une chance de pouvoir être professeur d'éducation religieuse. Je serai peut-être même accepté à l'université A Sharia d'Hébron. L'entrée y est facile ; ils ont besoin d'enseignants. Je serai un bon maître. J'ai une grande expérience de la vie ; je serai capable de remettre mes élèves dans le droit chemin. Je veillerai à ce qu'ils ne tombent pas aussi bas que moi, je les mettrai en garde ; je ne leur révélerai pas où j'en suis arrivé. J'aurai un nom respectable. Les gens viendront solliciter mon conseil en matière de religion. Ils écouteront ce que j'ai à leur dire, m'estimeront et suivront mes recommandations. Mon père sera fier de moi ; il se mettra lui aussi à prier. Peut-être fera-t-on ensemble le pèlerinage jusqu'à La Mecque.

Puis peu à peu je me mêlerai de politique locale ; quand mes élèves au lycée auront le droit de vote, ils m'imposeront sur la liste islamique. Ils feront tout pour que j'en prenne la tête ; aux élections suivantes, je serai élu maire.

Je serai un homme de consensus. Je serai membre de la Knesset. Les médias m'apprécieront. Ils ne pourront croire qu'un membre musulman du Parlement puisse parler ainsi ; avec modération et intelligence, presque sans accent. Je m'exprimerai bien ; je représenterai tout un peuple. Même les Juifs verront en moi l'homme intègre. Je m'entendrai avec les partis de droite et les religieux. Je deviendrai Premier ministre. J'apporterai la paix et l'amour dans la région. L'économie prospérera. Il n'y aura plus de guerre. Je ferai du Proche-Orient une superpuissance. J'en prendrai la tête ; Israël exportera du *maklouba*, du thym, de la carpe farcie vers tous les plus grands centres commerciaux de New York. La pute rencontrée la veille n'en reviendra pas. Elle aura couché avec le dirigeant le plus puissant du monde !

10. Le soir de Pourim

Soir de Pourim. Deux Arabes viennent de prendre possession de la piste de danse. Je dis : « On devrait leur interdire de danser » à Shadia, qui tient le bar avec moi. Elle acquiesce en gloussant. « C'est écœurant.

191

À Najedat ils se feraient violer. Je te jure, on les chope et on les baise illico. »

Ils sont vraiment laids, particulièrement le petit à moustache. Ondulant des hanches, agitant ses fesses moulées dans son pantalon, il est ridicule ; il gêne les autres danseurs, les clients attablés au bar et plus encore Shadia et moi. S'il avait une once de bon sens il ne s'aventurerait pas à danser. Pourquoi des Arabes tels que lui dansent-ils du disco ? Ne comprennent-ils pas qu'ils sont différents, que ça ne leur convient pas ni à quel point ils sont laids ? Surtout le petit à moustache qui se lance de loin les pistaches dans la bouche sans arrêter de tortiller du cul. Il joue les top models et regarde les filles à côté de lui comme si elles étaient des putes. Dès que l'horrible nabot commande une bière, il en apostrophe une : « Russe, hein ? »

Shadia dit : « C'est mon dernier service. Je ne peux plus voir ce lieu, et encore moins ces Arabes. Ils ont gâché l'endroit. Tous les gens bien ont fui. Il n'y a plus ici que la racaille de Jérusalem, des minables qui se prennent pour des dieux. Je jure d'envoyer un jour des gars de Najedat pour leur casser la gueule, à ces petits merdeux. Particulièrement celui à la moustache. » Elle ricane en se cachant la bouche du revers de la main.

Shadia était la première Arabe que j'avais rencontrée à connaître Tom Waits. Je m'étais retrouvé assis à côté d'elle à un séminaire de philosophie, voilà environ sept ans. Je changeais le disque sur mon walkman et elle l'avait reconnu. Cela avait modifié ma façon de voir les Arabes. J'avais compris grâce à elle qu'ils n'étaient pas tous semblables. Je n'ai rencontré qu'elle à apprécier la même musique que moi.

Elle habite dans la vieille ville et ne rentre à Najedat que pour les fêtes. Elle dit que chez elle personne ne lui adresse la parole. Chaque fois, elle y va avec l'espoir de trouver l'atmosphère familiale rêvée et elle revient déprimée. Elle a écrit un livre, l'a envoyé à plusieurs éditeurs en Égypte, mais elle n'a pas encore reçu de réponse. Elle n'y croit guère car le sujet est difficile. Seules deux personnes ont aimé ce qu'elle a écrit ; la première est décédée ; la seconde n'est autre que Mahmoud Darwich. Elle dit qu'elle a toujours voulu écrire sur son enfance ; le problème est qu'à Najedat une semaine pouvait parfois passer sans qu'il n'arrive rien. Seules paroles échangées le plus souvent : « Comment ça va ? », « Ça va, Dieu merci. » Elle dit en riant : « Ça fait quand même beaucoup de "Ça va, Dieu merci" pour un seul livre ! J'ai travaillé pendant un an ; j'écrivais des heures tous les jours. Mais mon enfance a eu du mal à remplir plus d'une quarantaine de pages. »

Shadia va bientôt quitter son travail au bar. Elle aimerait partir pour la Nouvelle-Zélande. Elle aime s'occuper des moutons. Ici son horizon est limité. Elle peine à trouver du travail. Elle a été comptable dans une importante galerie de peinture à Ramallah ;

mais maintenant c'est la guerre. Au bar, elle est sans arrêt importunée, surtout par les Arabes. Ils se trouvent malins quand, au comptoir, ils lui demandent « une pipe ».

Elle ne supporte plus le regard qu'on porte sur elle. Comme si le fait d'être arabe et de travailler dans un bar signifiait qu'elle est une putain. À chaque mot déplacé, elle fait un scandale ; elle prend tout le monde à témoin. Elle est de Najedat ; il ne manquerait plus qu'arrivent jusque-là des rumeurs mensongères. Elle ne se gêne pas pour remettre à sa place quiconque lui manque de respect ; même dans les rues de la vieille ville. Elle ne sort jamais sans son couteau. Un couteau volé au cours préparatoire. Quand elle sent que les choses risquent de tourner mal, elle le cache dans la manche de son chemisier. Il s'ouvre en pressant un bouton. Très différent du mien qui comporte une lime à ongle, un tournevis et une petite cuillère. Shadia se moque de moi quand je lui parle de mon canif. Elle dit qu'elle pourrait en faire une nouvelle : *Le Fils à papa ashkénaze dans le monde du crime*. Dans sa classe un garçon s'appelait Husseini ; un jour il avait braqué une banque. Elle était tombée des nues lorsqu'elle l'avait appris. Il n'aurait pas été capable de voler même une gomme. Quelqu'un lui avait tiré dessus lorsqu'il était sorti avec l'argent. Un fils de pute avec un pistolet. Un Juif. Qui n'avait pas été inquiété ni même arrêté.

194

C'est son dernier service. Elle en a vraiment assez. L'endroit est particulièrement triste en ce soir de Pourim. Il n'y a pas un seul beau garçon. Les anciens clients poussent la porte, jettent un coup d'œil à l'intérieur et ressortent aussitôt. Comme je les comprends ! Jamais je n'entrerais dans un lieu où des gens aussi laids se trémoussent. Shadia et moi ne dansons pas comme eux. Nous ne leur ressemblons pas. Elle comme moi sentions que cette soirée se passerait mal. D'ailleurs c'est la première fois que je me promène avec un couteau dans la poche.

Elle me dit : « Le propriétaire pourrait au moins embaucher un videur pour les chasser.

— De toute façon, c'est la dernière fois que je viens ici. Je me fiche d'avoir à payer mes consommations. Qu'est-ce que tu fais, tu restes ? »

Je regarde le bar, les taches de bière, de citron et les cendriers remplis de peaux de graines de lupin. Aujourd'hui nous n'avons pas envie de les vider. Nous voulons que tout le monde fiche le camp. Un homme en costume est assis au bar. Il a une bonne cinquantaine d'années. Des fois il se prétend avocat, d'autres, il affirme avoir étudié la médecine à Francfort. Il commande un autre verre de vin blanc, le porte à ses grosses lèvres, déglutit bruyamment ; de profondes rides sillonnent son dur visage raviné comme le sol du désert après un séisme. À présent, il chausse ses lunettes et note le numéro de téléphone de la fille assise à côté de lui. Une bénévole, étrangère, qui travaille dans une organisation de défense des droits de l'homme. Elle est petite et forte, en permanence à la recherche d'un homme. Le genre importe peu.

Je ne risque pas de leur ressembler. Quelle honte ce serait ! Je ne fais pas peur aux gens, je ne les dégoûte pas. En tout cas, ils ne le montrent pas. Des filles, peut-être, ont pu croire que je les draguais ou me trouver aussi dégoûtant qu'eux. Elles se trompaient.

Chaque fois que Shadia et moi nous nous retrouvons, le plaisir reste le même. Elle me parle de sa solitude et de sa tristesse ; pourtant, elle réussit toujours à me faire rire. Elle est l'une des rares capables de me faire éclater de rire ; je n'ai jamais besoin de me forcer. Pour meubler sa solitude elle s'est acheté un oiseau, qu'elle a installé dans une cage, au milieu de sa maison. À l'intérieur, deux barres en guise de perchoirs ; l'oiseau saute de l'une à l'autre à longueur de journée. Cela apaise Shadia ; elle envisage de le libérer avant qu'il ne meure d'ennui.

Quand la guerre a éclaté, elle a réussi à échapper au couvre-feu imposé à Ramallah ; elle est venue à Jérusalem. Elle avait vidé tout son appartement, donné ses meubles, la télévision, la vidéo et la machine à laver à ses voisins et à ses amis. Elle avait dit que, désormais, elle pouvait entasser tout ce qu'elle possédait dans deux valises. Elle avait ajouté : « Ce n'est d'ailleurs pas plus mal comme ça, car ce sera moins pénible la prochaine fois. »

Maintenant elle va disparaître à nouveau. Si elle quitte son travail, il y a peu de chances que je la revoie de sitôt. Elle s'absente souvent pendant de longues périodes ; à son retour elle dit : « J'ai fait un film sur des habitants de Najedat en Jordanie », ou : « J'ai écrit un scénario pour la télévision autrichienne. » Mais elle se fait toujours avoir. Elle n'est jamais payée ou le film n'est pas diffusé. Ça se passe toujours mal ; elle préfère prendre la fuite.

Comme je l'envie en ce moment, elle, son oiseau et ses deux valises. Elle est très belle, brune avec des cheveux bouclés et des traits fins ; beaucoup ne viennent au bar que pour elle. Les Arabes discutent toujours pour payer. Elle leur cède le plus souvent, pourvu qu'ils partent. C'est son dernier service. Elle ne peut plus les voir. Il ne reste au bar que l'avocat-médecin en costume qui commence à tituber et cherche son argent dans les poches de son manteau.

J'envie Shadia ; elle m'envie. J'ai une femme et une fille. Je sais où est ma maison, où rentrer chaque nuit ; elle est toujours sur le départ. Nous, nous sommes de pauvres fellahs attachés à notre terre. Non, elle n'est pas comme moi.

Cinquième partie

La route de Tira

1. Anniversaire

Papa est employé à la mairie ; responsable des cartes d'identité, passeports, extraits de naissance, contrats de mariage et certificats de décès. Il a un petit bureau au sous-sol avec une minuscule fenêtre et un store impossible à baisser. Depuis quatorze ans, mon père délivre leurs cartes d'identité aux habitants de Tira. Autrefois, pour renouveler une carte ou obtenir un passeport, il fallait se rendre au bureau du ministère de l'Intérieur, à Netanya ; aujourd'hui, on peut le faire au village.

Papa travaille tous les jours de huit heures du matin à quatre heures de l'après-midi. Les employés de la mairie ont la réputation d'être corrompus, incompétents, de ne devoir leur poste qu'à leurs accointances avec le maire et d'être payés à ne rien faire. Papa se haïssait

201

d'avoir accepté cet emploi ; Maman et Grand-mère avaient fait pression sur lui. Elles voulaient qu'il reste au village, qu'il ne s'éloigne pas trop pour qu'on puisse le joindre à tout moment. Papa avait renoncé à toutes ses valeurs pour avoir ce bureau. Voilà quatorze ans, il avait soutenu un collaborateur qui s'était porté candidat à la mairie ; en retour il avait obtenu l'autorisation de travailler pour l'État. Les gens l'avaient aussi accusé d'être un collaborateur. Sans quoi, comment aurait-il pu se faire embaucher au ministère de l'Intérieur après son séjour dans les geôles israéliennes pour cause de terrorisme ? À Tira, tout le monde haïssait mon père. Grand-mère disait que c'était par pure jalousie ; peut-être avait-elle raison. Papa n'avait pas d'amis, sauf Bassem qui avait travaillé avec lui à l'entrepôt d'emballage.

Bassem, aujourd'hui, ne peut plus quitter son lit ; la cueillette a eu raison de son dos. Il subit régulièrement des interventions chirurgicales, Papa va lui rendre visite à l'hôpital et n'oublie jamais son échiquier pour pouvoir disputer une partie avec lui, allongé dans son lit.

Je ne me souviens pas avoir vu Papa sympathiser avec des gens réputés cultivés. Jamais. Ni avec des avocats, ni avec des médecins, des enseignants ou des ingénieurs. Parfois, j'avais l'impression qu'il avait honte de lui-même ; qu'il se sentait diminué dans son petit bureau au store déglingué.

Jamais il n'avait été aussi désespéré. Papa ne sortait presque plus de la maison. À son retour du travail, il se mettait aussitôt au lit et allumait sa radio, sur la table de chevet. Quand il ne se levait pas pour suivre les informations au salon, il restait dans sa chambre jusqu'au lendemain matin. Au travail, certaines semaines, il ne voyait personne. Parfois, par ennui, il nous renouvelait à chacun notre carte d'identité et notre passeport, prétendant qu'ils étaient périmés. Pourquoi aurions-nous eu de vieux papiers d'identité s'il pouvait, en deux jours, nous en procurer de nouveaux, portant le cachet du nouveau ministre de l'Intérieur ?

Papa refaisait ses papiers chaque semaine. Parfois, il voulait changer de nom. Il aimait l'idée de pouvoir le faire. Il avait modifié certaines données : citoyen israélien, arabe, marié, père de quatre enfants, né le : 0/0/1947 ; Grand-mère avait oublié quel jour il était né. Lorsque les Juifs étaient venus, elle avait dû le déclarer et ne s'était pas souvenue de la date exacte. Elle se rappelait que c'était à la saison des figues de Barbarie. Aujourd'hui, elle dit : « C'était la guerre et personne ne se préoccupait des dates de naissance. »

Tout changea quand ma tante Caméla, du camp de réfugiés de Nour Shams, à Tulkarem, fut sur le point de mourir. Papa était allé la voir à l'hôpital de Naplouse. Ibrahim, le fils aîné de Caméla, avait été libéré de prison ; les Palestiniens étaient entrés en

Cisjordanie. En remerciement de ce sacrifice pour la nation on lui avait procuré un travail à l'antenne du ministère de l'Intérieur, à Tulkarem. Il touchait un salaire inférieur à celui de Papa, mais il avait une situation. À l'hôpital, il portait toujours son pistolet sur lui ; les médecins le considéraient avec respect. Il avait pu obtenir que ma tante meure dans la plus belle chambre de l'hôpital de Naplouse, où des rideaux séparaient les lits les uns des autres.

J'allais parfois dormir chez ma tante Caméla quand j'étais petit. La nuit, les fusées illuminaient toutes les maisons. Elle me disait : « Ce sont les tirs de l'armée. » Je trouvais le camp superbe, l'eau ruisselait dans les rigoles au milieu des rues. Pas la moindre trace de sable. Les enfants disaient *ice cream* au lieu de glace et, au football, *hand* plutôt que main. Même si je ne l'avais jamais vu, je savais que son fils Ibrahim était un héros.

Après la mort de ma tante, Ibrahim emmena Papa visiter son bureau, au ministère de l'Intérieur de Tulkarem. Ils étaient en train de fouiller dans de vieux documents datant des Britanniques quand, soudain, mon père tomba sur son nom et sa date de naissance exacte : 14/5/1948. Il fut très heureux de gagner une année ; il improvisa une grande fête, avec toutes mes tantes. Ce jour-là, même Bassem quitta son lit.

Mon père découvrit ensuite les dates de naissance de mes tantes et des membres de la famille nés avant la guerre. Tous se mirent à fêter leur anniversaire. Tante Faten, pour ses soixante-dix ans, fit venir un orchestre ; elle considérait qu'il fallait au moins cela, pour rattraper toutes ces années perdues.

La nouvelle se propagea dans tout le village ; les gens commencèrent à se dire que Papa n'était peut-être pas un collaborateur. Comment les Palestiniens auraient-ils pu le laisser consulter des documents aussi secrets ? Le maire fut le premier à lui demander de retrouver sa date de naissance ; Papa lui rapporta de Tulkarem son extrait de naissance. Le maire célébra son premier anniversaire sur le terrain de football et dans son discours remercia Papa pour son aide.

Papa n'eut bientôt plus le temps de dormir. Ceux qui ne pouvaient pas se rendre à son travail venaient chez nous. Ils avaient compris qu'il agissait par gentillesse ; en plus de son travail au ministère de l'Intérieur israélien. Ils commencèrent à lui faire des cadeaux. Des moutons, des montres, de la viande hachée, des caisses de Coca-Cola, des paquets de riz, du sucre, et que sais-je encore. Certains proposaient de l'argent ; Papa n'acceptait jamais. Sauf, disait-il, pour les timbres qu'il devait acheter à Tulkarem ; il donnait toujours un reçu de l'administration palestinienne. Ibrahim n'avait aucun problème pour délivrer des timbres et des reçus officiels dans l'imprimerie où se fabriquaient les tracts de propagande. Papa remettait tout l'argent à Ibrahim ; il ne gardait jamais rien pour lui. Il disait qu'il le méritait, qu'il en avait besoin pour se construire une maison, se marier avec une gentille femme. Il était resté, le pauvre, vingt ans en prison ; maintenant il n'avait plus de mère.

La rumeur sur les miracles de Papa s'étendit de Tira aux villages alentour, jusqu'en Galilée.

Des gens arrivent maintenant dans de belles voitures, ils ont de l'argent et apportent des cadeaux pour se faire délivrer leurs extraits de naissance. Papa est célèbre. Toutes ces sollicitations ne le dérangent pas. Au contraire, cette nouvelle occupation le remplit de joie. Certains commencent à jurer l'avoir vu déjeuner avec Arafat. À Tira, ce n'est plus un secret pour personne : c'est Arafat lui-même qui lui avait demandé de soutenir le maire collaborateur ; son travail au ministère de l'Intérieur israélien n'était qu'une couverture. Les journaux ne tarissent plus d'éloges ; ils remercient le « célèbre héros palestinien », le « fils du courageux martyr » ou encore le « libérateur des terres qui fait surgir la justice ». Papa feint d'ignorer ces louanges. Chaque matin, il travaille à la mairie avant de partir l'après-midi pour Tulkarem ; presque chaque soir, il est l'invité d'honneur à la célébration d'un premier anniversaire.

2. Visite des parents

Ma femme me dit : « Tes parents sont arrivés » ; elle me réveille de ma sieste. C'est vendredi. J'avais complètement oublié leur visite. Ma mère avait téléphoné la veille pour la prévenir. Elle ressentait comme un manque et souhaitait voir sa petite-fille.

Elle est dans le salon ; elle la tient dans ses bras. Maman ne cesse de babiller, attentive aux réactions de la petite qui ne sait plus où porter son regard entre elle, Papa en train de lui agiter son trousseau de clefs au-dessus de la tête et mon frère qui lui siffle dans le visage. La fillette passe vite de l'inquiétude à l'énervement ; elle fond en larmes. Maman dit que c'est notre faute ; nous ne venons jamais les voir et la petite ne connaît ni son grand-père ni sa grand-mère.

Ma femme la hisse sur ses épaules pour tâcher de la calmer puis la pose dans les bras de sa grand-mère. Elle dit que ma mère ne comprend décidément rien aux enfants. Elle n'est pas chaleureuse avec la petite ; elle ajoute que c'est sûrement pour ça que je suis un raté.

En général, mes parents et moi nous nous serrons la main ; il est rare que nous nous embrassions. Je n'aime pas ; cela me gêne et me laisse une impression bizarre. Je trouve ça superficiel. Surtout avec mon père. Jamais mes lèvres ne touchent son visage ; lorsque sa bouche s'approche de ma joue, je ne peux m'empêcher de détourner la tête pour l'éviter.

Mon père me demande : « Comment se fait-il que tu dormes encore à cette heure ?

— J'ai travaillé toute la nuit hier.

— Au restaurant ? » Il sait très bien qu'il s'agit d'un bar mais mon père cherche toujours à enjoliver.

Je dis : « À Hamara. »

D'énormes sacs-poubelle jonchent le salon ; la vaisselle s'entasse dans l'évier. En général, ma femme fait le ménage avant l'arrivée des invités ; hier, étant seule avec la petite, elle n'en a pas eu le temps. Elle a fait ce qu'elle pouvait pour arranger le salon : débarrasser la table des bouts de papier, mouchoirs, peaux de bananes et cacahuètes restés là depuis une semaine. Ma femme ne supporte pas la saleté ; avec moi elle n'a pas de chance. Je dois plaider coupable. Tout est ma faute. Je ne l'aide jamais ; ni dans les tâches ménagères ni avec la gamine. Elle dit que je suis un rustre ; je ne peux hélas lui donner tort. Mes parents demandent si tout va bien au travail, comment se porte l'enfant, si elle dort bien la nuit, ne se réveille plus toutes les heures. Ma mère la trouve amaigrie ; pour Papa, elle est encore bien ronde. Il allume une cigarette ; je lui en prends une. Il n'arrive pas à croire que je me sois mis à fumer. Pourtant je fume depuis huit ans ; il ne s'y est pas encore fait. Il dit que c'est très nocif. Si je savais combien il souffre du tabac, combien il s'en veut de ne pas avoir réussi à s'arrêter ! Pour moi qui viens à peine de commencer, tout n'est pas encore perdu. Il demande : « Combien en fumes-tu ? » et poursuit sans attendre ma réponse : « Deux ou trois cigarettes par jour ? »

Mes parents ne viennent que très rarement nous voir. Avant la naissance de leur petite-fille, ils ne venaient jamais. La plupart du temps, ils restent un quart d'heure, et puis ils rentrent chez eux. Deux mois ont passé depuis notre dernier passage à Tira, pour l'*Id Al Fitr* ; cette fois, Maman a demandé à Papa de rester plus longtemps ; la petite lui manque beaucoup. Elle l'a supplié toute la semaine pour passer au moins une heure chez nous. Papa a donné son accord , à une condition : que Fatma, son amie de Jérusalem, puisse aussi venir. Sur la route, il lui a téléphoné pour l'inviter chez nous, à Beit Safafa ; Maman ne s'y est pas opposée ; elle veut être avec sa petite-fille le plus longtemps possible. Maman hait au plus haut point cette Fatma. Elle ne supporte pas d'entendre prononcer son nom. Parfois il arrive à Grand-mère, à une de mes tantes, ou à Papa, d'en parler, ce qui la met toujours hors d'elle. Elle dit que Fatma est une fieffée salope. Je ne l'ai jamais vue ; tout ce que je sais d'elle, c'est qu'elle a foutu en l'air l'existence de Papa. Grand-mère un jour m'a dit qu'elle avait sorti de son armoire un grand sac de lettres de Fatma ; elle avait tout brûlé.

Le téléphone sonne ; avant même que je décroche, j'entends Papa crier : « C'est sûrement Fatma. Explique-lui comment venir. »

Une voix rauque, féminine, m'interpelle par mon nom ; elle me dit que j'ai la même voix que mon père. Elle dit qu'elle est encore chez le *coiffeur*, en français ; probablement pour se donner un genre. Elle habite Ras El Amoud ; son coiffeur se trouve à Talpiot, rue Ouman. Elle n'a pas besoin d'explications ; le nom du propriétaire lui suffit. L'employé de son coiffeur vit à Beit Safafa ; il saura lui expliquer le chemin.

Ma femme me prend à part pour me dire que nous n'avons rien à offrir. « S'il n'y avait que tes parents, ce ne serait pas grave, mais avec cette invitée... Pas question de sortir faire des courses dans un état pareil, tes yeux sont gonflés, poursuit-elle ; tu ne t'es pas encore lavé le visage ni même brossé les dents. » Elle va faire un saut à l'épicerie ; mon frère l'aidera à porter les courses. Lui, c'est un garçon serviable ; on peut toujours compter sur lui.

Elle confie à Maman la gamine qui se remet à pleurer. Ma mère la cajole, la berce, va et vient entre l'évier et le tas d'ordures du salon. En vain. Papa allume une autre cigarette ; je lui en prends encore une. Je ne fume pas en présence de la petite mais à partir du moment où il fume, une cigarette de plus n'aggravera pas les choses. Il fumait quand j'étais petit ; je me porte on ne peut mieux. Comme mes frères.

Je vais ouvrir la porte. Fatma entre ; elle porte une robe longue noire. Elle est à peu près de ma taille ; celle de Papa. Elle porte un châle rouge sur les épaules. Ses cheveux sont teints, permanentés. La cinquantaine, peut-être davantage. Je ne cherche pas à savoir si elle est plus belle que Maman ; elles sont différentes. On dirait une de ces femmes du monde que l'on interviewe à la télévision jordanienne ou égyptienne. Aucune ride, mais sa bouche et ses yeux trahissent son âge. Des paupières lourdes ; elle cligne des yeux avec lenteur comme s'il lui était pénible de les soulever.

Elle me sourit, me tend la main, me demande si je la connais ; elle affirme qu'elle m'a vu quand j'étais tout petit, une fois. Papa lui fait remarquer qu'il s'agissait de mon frère aîné. Maman détache une main de l'enfant pour serrer celle de Fatma. Elle l'observe. Fatma est plus mince qu'elle. Elle caresse les cheveux de la petite qui pleure de plus belle. Tout sourire, Fatma demande : « Qu'est-ce qu'il y a ? Qu'est-ce qui se passe ? ». Elle ajoute « Quelle jolie petite-fille vous avez ! » Papa s'assied sur le canapé avec sa cigarette. Il lui dit : « Tu n'as pas changé. »

Elle s'assied à son tour, lui prend la main ; elle jure qu'elle ne l'aurait pas reconnu dans la rue tant il a grossi. Et tous ces cheveux blancs.

« Grossi ? » feint de s'étonner Papa en rentrant le ventre. Il tire sur sa cigarette, va s'observer dans la glace de la salle de bains. Il dit : « Je n'ai pas l'impression d'avoir grossi » en revenant ; il regarde Maman pour la prendre à témoin.

Ma femme et mon frère reviennent ; ils portent deux sacs. La déception se lit sur le visage de Samia. Elle aurait préféré arriver avant Fatma ; l'invitée va savoir que nous

211

avons fait des courses pour elle. Une bouteille de Coca dépasse du sac. Fatma dit : « Il ne fallait pas vous donner tant de mal ; je ne veux rien ; d'ailleurs je ne bois pas de Coca. » Elle serre la main de mon frère et lui dit qu'elle le trouve aussi beau que Papa autrefois.

Ma femme sort des verres ; elle verse du Coca aux invités, dispose quelques bananes, des oranges et des pommes dans une assiette, verse d'un sac en papier brun des cacahuètes sur la table. Elle pousse la boîte de lingettes et le tire-lait pour déposer le plateau. Fatma dit : « Tu as une petite fille très mignonne, elle te ressemble » ; ma femme s'obstine à trouver que ce n'est pas vrai.

Les canapés sont tous occupés. Papa et Fatma ont pris deux places ; mon frère et ma femme deux autres. Maman est debout avec la petite. J'apporte une chaise pour m'asseoir face à mon père et à son amie ; ils évitent de se regarder.

Je demande en exhalant la fumée : « Alors, quand vous êtes-vous connus ? »

Tout le monde me regarde comme si j'avais posé une question incongrue. Il faut dire que dans notre famille personne ne parle ; nous sommes des spécialistes du non-dit.

Fatma répète : « Quand nous sommes-nous connus ? Je vais te le dire, quand nous nous sommes connus. » Papa semble ne penser qu'à son ventre ; il s'efforce de le rentrer le plus possible tout en le caressant, par-dessus sa chemise. Elle poursuit : « J'étais jeune institutrice, je travaillais dans une école dans le quartier d'A Tour ; c'était après la guerre de 67, on avait emmené tous les instituteurs visiter l'université. C'est là que j'ai rencontré ton père. »

J'insiste : « Et alors ? Que s'est-il passé ? Comment vous êtes-vous parlé ? »

Maman me coupe pour dire qu'elle n'ira pas voter aux prochaines élections. Papa lui répond qu'il s'est laissé convaincre ; il est important que les Arabes votent. Fatma, elle, n'a pas le droit de voter ; elle n'est pas citoyenne. Même si elle l'était, elle ne donnerait jamais sa voix au parlement israélien. Fatma est restée mince. Elle est toujours célibataire ; elle vit avec son frère et sa famille. Ils travaillent tous dans le tourisme, possèdent une véritable flotte de cars et beaucoup d'argent. Cette semaine, ils viennent d'offrir une maison spacieuse à l'un de leurs neveux. Fatma n'achète ses vêtements qu'à l'étranger ; elle dit : « Rien de mieux que Londres ! » Elle est très riche. Directrice adjointe de l'école d'A Tour. Elle ne sait pas quoi faire de ce qu'elle gagne. Cela fait trente-deux ans qu'elle enseigne ; deux de plus que ma mère.

Je lui demande : « Mais comment avez-vous sympathisé ? » Je pense à ses lettres ; je veux en savoir plus.

Papa intervient : « J'étais le plus beau garçon de l'université. » Il s'efforce de sourire.

Maman fait la grimace. Fatma et lui voulaient se marier. Fatma rit : « Heureusement que ça ne s'est pas fait ! Regarde comme tu as grossi ! » Elle demande à maman sur un ton quelque peu familier : « Comment pouvez-vous le laisser comme ça ! » Maman, qui se sent vraiment de trop, ne sait quoi répondre ; elle se contente d'un hochement de tête.

Papa m'explique qu'ils ne se sont pas mariés car il s'était fait arrêter ; il était resté en prison plusieurs années, puis il avait été placé en résidence surveillée, longtemps ; sans pouvoir sortir du village. Maman se parlant à elle-même, à voix haute, l'interrompt : « Je n'aurai jamais le temps de faire la cuisine ce soir. » Ça suffit comme ça. Elle a assez profité de l'enfant ; elle regrette d'avoir cédé à Papa. Elle veut rentrer à la maison. De toute façon, la petite a envie de dormir ; il est l'heure de partir. Fatma fait observer que nous sommes vendredi ; les magasins ferment tôt et elle doit encore acheter un cadeau pour l'anniversaire de sa nièce, demain.

La fillette s'est endormie. Je vais fumer une cigarette et me recoucher ; cette nuit je travaille au bar. Je demande à ma femme si elle a vu le briquet. Elle me dit que nous avons fait l'effet de clochards. La maison est dégoûtante à cause de ma paresse ; je ne suis qu'un paysan qui n'a même pas songé à se laver le visage ni à retirer son survêtement. Elle ignore où est le briquet, mais elle a trouvé cette Fatma très belle. « Elle doit sûrement prendre soin d'elle, dit-elle avant de me demander : Elle a eu une histoire avec ton père, n'est-ce pas ? »

Je dis, pour changer de sujet : « Il a encore dû me voler mon briquet. »

3. Pas de bière en Arabie Saoudite

J'en ai plein le cul de cette situation. Je voudrais être un universitaire arabe fouille-merde pour salir l'État. J'ai été incapable de terminer mes études ; finalement mon travail n'est pas si mal. Il y a plus pénible.
Que j'aimerais faire la plonge dans un restaurant. Prier dans une mosquée ! Être pauvre ! Que les eaux usées s'écoulent des toilettes à la cuisine, avec un âne attaché à un figuier dans la cour. Que des enfants nu-pieds se chamaillent dehors en hurlant. Que ma femme porte le foulard !
Tout le monde autour de moi revient à la religion ; sauf mon père. À chaque ramadan, Grand-mère fustige les hérétiques. Elle oblige Papa à jeûner, lequel promet à chaque fois, sans tenir parole. Quand nous étions petits, Grand-mère comptait les cigarettes dans son paquet pour vérifier s'il avait fumé. S'il n'avait pas jeûné, elle refusait, en signe de désapprobation, de toucher au repas de rupture du jeûne. À chaque ramadan, Grand-mère dit que Papa est devenu sans cœur. Quand il était enfant, il n'oubliait jamais de faire ses ablutions, et il allait tous les vendredis à la mosquée. Tout ça à cause de Maman ! Les hommes se laissent toujours influencer par leur femme. Maman a envie

d'être belle, elle a peur de paraître vieille avec un foulard. Elle ne comprend pas que la foi en Dieu rend le visage beau et lisse.

Je pense beaucoup à Dieu ces temps-ci. Tout le monde se repent. C'est facile ; pas comme chez les Juifs. Rien n'empêche de continuer à vivre dans la même maison ; pas nécessaire de s'éloigner des siens. Dans les familles musulmanes, un imam et une prostituée peuvent cohabiter sous le même toit. Pour se repentir, il suffit de faire ses ablutions et de prier. J'ai oublié comment on prie. Autrefois, j'allais à la mosquée. Il y a longtemps. Notre professeur d'éducation religieuse à Tira distribuait des bonnes notes à tous les enfants qui y allaient. J'y suis allé jusqu'au jour où l'on me vola mes chaussures. En sortant, j'avais cherché pendant des heures, dans tous les tas ; sans succès. Je m'étais mis à pleurer. J'avais attendu que tout le monde ait repris les siennes. À la fin, il ne restait qu'une affreuse paire de sandales en plastique. Pour rien au monde je ne les aurais portées ; j'étais rentré pieds nus à la maison.

Adel s'était repenti. Déçu par la perestroïka, il avait abandonné le communisme pour l'islam. Ses études terminées, il était resté à Jérusalem. Au début, il avait une copine russe ; lorsque Gorbatchev était arrivé au pouvoir il l'avait quittée. Il avait dit qu'un Juif reste un Juif. Il avait beaucoup réfléchi ; en cas de guerre, il savait qu'il n'aurait pas envie de sauver sa copine. Finalement il avait épousé une chrétienne. Il est écrit que quiconque convainc une âme de rejoindre l'islam garantit sa place au Paradis. Adel s'était embarqué dans un projet particulièrement difficile avec cette chrétienne de Nazareth ; elle arborait la plus grosse croix de l'université, lorsqu'elle s'appelait encore Suzi. Ses parents étaient opposés à l'idée de la voir épouser un fellah musulman ; il lui avait fallu attendre que son père meure d'une crise cardiaque pour pouvoir se marier. Adel a maintenant une vie rangée. Il est avocat, possède une belle voiture et a trois enfants. Ma femme s'entend à merveille avec la sienne, nous sommes redevenus amis. Il ne boit plus, et il n'oublierait jamais une seule prière. Lorsque nous nous voyons, il me dit toujours à quel point l'islam est extraordinaire ; que seule la prière pourrait m'aider à surmonter mes difficultés ; il prie Dieu pour que la foi gagne mon cœur. Adel sait que je bois, que je ne jeûne pas ; cela ne les empêche pas, lui et sa femme, de nous inviter au repas de rupture du jeûne au moins deux fois au cours du ramadan. Suzi s'est convertie à l'islam. Elle dit qu'elle est convaincue que c'est la religion vraie ; que Mahomet est le prophète de la justice. Elle prie et jeûne pendant le ramadan, ne célèbre que des fêtes musulmanes. Elle se demande comment elle a pu être enfant de chœur dans une église.

Depuis qu'il s'est repenti, Adel s'exprime et s'habille différemment. Il est beaucoup plus calme. Il dit, à toute occasion : « Dieu soit loué. » Je l'envie. Il milite au sein du

mouvement islamiste ; il a fait sien le slogan :
« Une seule solution : l'islam. » Adel croit en
définitive, exactement comme le promet
l'islam, que le Mahdi arrivera ; qu'il uniera les
musulmans ; que l'empire islamique domi-
nera le monde. Comme Omar Ben Al Hatab,
Adel considère que plus Israël tue de Palestiniens, plus l'heure de la venue du Mahdi se
rapproche, plus la situation empire, plus les
chances de salut augmentent.
Adel dit que les Juifs et les Américains béné-
ficient peut-être du progrès technologique,
mais que le Coran dit que la guerre décisive
sera à l'épée et à mains nues. Le cheikh de sa
mosquée dit que Dieu fera s'abattre sur les
hérétiques un coup de froid terrible, que tous
leurs avions et toutes leurs armes gèleront.
Adel a donc acheté à ses enfants des épées
en plastique pour qu'ils puissent apprendre à
croiser le fer. Il ne les emmène plus chez le
médecin, ne leur donne plus de médicaments ; il dit qu'il n'y aura bientôt plus d'anti-
biotiques et qu'il faudra apprendre à
surmonter les maladies. Lorsque la guerre a
éclaté, le cheikh soufi a dit à ses fidèles qu'il
avait rencontré le Mahdi à la mosquée al-
Aqsa. Adel était persuadé que Jérusalem allait
être libérée et que les Juifs et les Américains
seraient vaincus ; il voulait partir à La
Mecque, attendre le Mahdi, figurer parmi ses
soldats et le suivre jusqu'à Médine. Il est écrit
dans le Coran que celui qui lui est fidèle est
assuré d'une place au Paradis. Adel avait
décidé que moi aussi je devais faire le

pèlerinage. Il paierait les frais du voyage ; il en avait les moyens. Il ne voulait pas s'y rendre seul ; il préférait partager une chambre avec un ami à La Mecque plutôt qu'avec un quelconque musulman venu probablement d'Afghanistan qui ne comprendrait pas un mot d'arabe. Adel nous avait inscrits tous les deux au Hadj.

Pas de bière en Arabie Saoudite. Pas même de bière sans alcool. Les femmes sont couvertes de la tête aux pieds, toutes vêtues de noir avec un voile sur les yeux. Elles ont le droit de découvrir leur visage, les paumes de leurs mains mais non leurs jambes ; elles pensent que plus elles font preuve de rigueur, plus le jour du Jugement le châtiment sera faible. Adel priait sans arrêt. Après vingt-quatre heures de voyage dans un car bondé, il n'avait pas pris un instant pour se reposer mais il préféra courir visiter la tombe du Prophète dans la médina. Il m'avait dit que nous n'avions que deux semaines ; il fallait prier le plus possible.

À La Mecque, il existe un endroit auquel on n'accède qu'au prix d'une attente interminable, dans la promiscuité. Cela en vaut la peine ; en ce lieu une seule prière a plus de poids qu'un million ailleurs. C'est le coin où le prophète Mahomet venait s'asseoir pour prier et lire le Coran. Qui réussit à y accéder a le sentiment d'atteindre la septième station, la plus noble du Paradis.

Le Paradis est divisé en stations ; même la plus basse est extraordinaire. Tout y est verdoyant avec des ruisseaux de miel et des fleuves de jus de fruits. Tous vos désirs y sont exaucés. Il vous suffit de penser à une poire pour qu'apparaisse sous vos yeux un poirier ; une branche ploiera jusqu'à vous pour porter le fruit à votre bouche. Au Paradis, les gens sont assis sur l'herbe toute la journée comme dans un parc. Que vous pensiez à une femme, elle arrive, et vous viennent des envies de nourriture. Il n'est pas certain que ces femmes soient comme celles d'Arabie Saoudite. Peu probable même. Au Paradis elles sont petites, jeunes et vêtues de blanc. Elles ne se déshabillent pas ; il n'y a pas de lieu où se dévêtir. Chacun reste assis sur l'herbe, en contemplation. Ni maisons ni tentes ; l'environnement serait gâché. Aucun bien de consommation. Vous aurez beau penser à un walkman, vous n'en recevrez jamais. Aucune voiture ni avion.

Adel disait que c'était mon ultime chance de repentir. Il m'emmena sur la tombe du Prophète. Quand je lui ai fait remarquer qu'il n'y avait rien à l'intérieur, hormis un tapis vert sur lequel étaient inscrits des versets du Coran, il a pleuré et m'a sermonné. Il pleura pendant deux jours puis finalement il ne se préoccupa plus de moi. Il priait seul. Il me considérait comme perdu, condamné à brûler dans les flammes de la géhenne.

La géhenne, elle aussi, est divisée en sections ; même dans la moins terrible, tout est mauvais. Vous mourez et ressuscitez un million de fois par jour ; pour que vous souffriez plus, on vous fait brûler dans une fournaise dont les flammes dépassent l'entendement. Brûler, fondre pour ressusciter, brûler à nouveau et refondre encore. Des géants aux sinistres visages se tiennent au-dessus de vous ; ils vous marquent au fer rouge, comme du bétail. Qui entre en enfer n'a plus aucun espoir d'en ressortir.

Le jour du Jugement, tout le pays explosera et un nuage obscur anéantira toute vie. Nous serons transplantés en un autre lieu. Tous les hommes seront rassemblés, alignés sur un fil plus fin qu'un cheveu : l'humanité de tous les temps. Tout homme ayant vécu sur terre. Des chasseurs de la préhistoire aux médecins de Hadassah. Les actes de chacun seront pesés et soupesés ; un rien scellera votre sort : le salut ou le feu éternel. Le jour du Jugement, personne ne reconnaîtra personne, ni ses parents ni ses amis ; chacun sera trop occupé de son sort. Votre père pourra arriver, vous implorer de reconnaître qu'il a été bon pour vous – la bonne action qu'il lui manque pour avoir droit au Paradis –, et vous pourrez ne pas répondre car, allez savoir, peut-être cela vous perdrait-il ? Tout ce que vous aurez fait dans votre vie défilera devant vous, du jour de votre naissance à celui de votre mort. L'ange à droite comptabilisera les mauvaises actions ; celui à votre gauche, les bonnes. Ou inversement. J'ai tout fait pour croire en Dieu, intégrer l'immense cercle de gens en blanc tournant inlassablement autour de la Pierre noire. J'ai voulu me noyer dans la marée humaine qui afflue vers les mosquées. J'ai essayé de me souvenir comment je priais quand j'étais petit. De me remémorer tout ce que l'on nous avait appris à l'école. Il m'arrivait d'avoir peur de me retrouver seul dans la chambre ; je pleurais. Adel restait la journée entière à la mosquée ; je ne pouvais me retenir de penser à ma femme et à la petite. La nuit, quand l'affluence diminuait, je mettais ma robe blanche, capuche sur la tête, et je sortais acheter des cadeaux pour toute la famille. Les femmes et les enfants envahissaient les trottoirs. Couchés sur des morceaux de carton, tout habillés et avec leurs chaussures. Adel avait loué une chambre dans un des hôtels les plus luxueux de La Mecque. Un des plus proches de la Kaaba. De la fenêtre de la chambre climatisée, je pouvais apercevoir la Pierre noire, et les gens agglutinés s'écrasant les uns sur les autres pour l'embrasser. Adel l'avait embrassée. Pourtant robuste, il s'était démis l'épaule mais il avait réussi. Il m'avait dit : « Une odeur de Paradis ! », avant de s'endormir. Notre séjour de deux semaines s'acheva. Le voyage de retour en car fut insupportable. En Arabie Saoudite, tout le monde a l'habitude d'acheter de grosses couvertures de laine ; elles sont bon marché et de bonne qualité. Notre guide jordanien avait gardé tous les passeports israéliens et nous comptait chaque nuit. Il était permis de rapporter deux

couvertures par personne ; il ne put empêcher que certaines femmes en rapportent plus
d'une dizaine. Adel et moi étions les plus
jeunes ; nous avions dû faire tout le voyage
debout jusqu'à chez nous. Nous n'échangeâmes que quelques mots. À un moment,
Adel tenta de descendre en plein désert pour
échapper au guide jordanien ; il voulait
retourner à La Mecque. Il était persuadé que
le Mahdi allait arriver et il craignait de le
rater. Il me dit : « Peut-être est-il déjà à Jérusalem », quand nous arrivâmes en Jordanie.
La politesse obséquieuse des soldats israéliens à la frontière ne trompait pas : le Mahdi
n'était pas encore arrivé.

4. Le Neveu de Wittgenstein

Aujourd'hui, jour de l'Indépendance. Ma
femme ne se sent pas bien. Je dois la conduire
à l'hôpital. Tous mes efforts de dissimulation,
efficaces pendant des années, vont s'effondrer en un instant. À l'entrée du village, les
soldats me demandent de m'arrêter sur le
bas-côté. M'arrêter, moi ? Moi, le plus jeune
Arabe à avoir su prononcer correctement le
pé ? Moi qui n'ai pratiquement pas d'accent ?
Me prendre pour un Arabe ? Avec mes pattes
sur les joues et mes Ray-ban ! Les Juifs eux-
mêmes se trompent ; ils me prennent pour un
Juif. Quand je croise un éboueur, je lui parle
aussi en hébreu. C'est à cause de ma femme ;
elle fait un peu arabe. Quand nous allons

faire des courses au centre commercial, ou ailleurs, j'ai toujours l'espoir que les gens la prennent pour une Marocaine ou une Irakienne ; moi, pour un Ashkénaze qui aime les femmes orientales.

Le soldat me demande mes papiers. Je dis que j'ai eu une petite copine juive, que j'ai fait toutes mes études avec des Juifs et que tous mes amis le sont. Je connais tous les termes militaires israéliens. Je n'insiste pas ; je lui présente les papiers de la voiture, avec mon permis de conduire. Les automobiles défilent devant moi ; certaines portent des drapeaux. Les conducteurs me regardent d'un air apitoyé. Je me sens si stupide avec mes favoris et mes lunettes de soleil. La radio, sur Galei Tsahal, diffuse une chanson. Quel débile ai-je été de croire que je pouvais faire illusion.

Je quitte le barrage sur les chapeaux de roues, éteins la radio et marmonne entre mes dents des jurons à l'adresse de la police, des Juifs, de l'État, de Tira et de ma femme. Mais je décide de prendre sur moi et de ne pas me défouler sur elle. La pauvre. Elle doit souffrir. Comme si ça ne suffisait pas. Je me comporterai bien.

Je lui demande : « Ça va ? »

Elle me répond : « Ça va. »

Aux urgences, que des Arabes. Des femmes paraissant plus vieilles que leur âge, coiffées de foulards et chaussées de sandales en plastique, se traînent dans les couloirs. Perdues, elles ne savent où aller. Certaines mâchouillent un bout de leur foulard. Mais pourquoi ont-elles toujours cette touche ? Comment peuvent-elles oser sortir de chez elles ? Et pourquoi vend-on encore ce genre de sandales ? Pourvu que je ne leur ressemble pas, qu'on ne me prenne pas pour un des leurs. Qu'on ne hurle pas le nom de ma femme lorsque viendra son tour, ni qu'on ne l'appelle par haut-parleur. Dans de tels cas j'ai l'habitude de rester de marbre, comme s'il ne s'agissait pas de moi. Ou parce que l'annonce de mon nom – aussi outrageusement déformé ! – pourrait prêter à confusion quant à mon identité, ma religion et ma nationalité. Ma femme ne comprend pas. Cela ne lui pose aucun problème ; moi, je suis hors de moi. Elle est capable de me parler arabe, même dans un ascenseur bondé, à l'entrée du centre commercial ou pendant qu'on nous passe au détecteur de métaux. Ça ne la gêne pas de jouer avec la petite et de lui parler arabe en public. Je me demande pourquoi elle s'obstine. De toute façon l'enfant ne comprend pas un mot, ni en arabe ni en hébreu.

Ma femme entre pour sa consultation ; je reste à l'attendre à l'autre bout du banc. Je sors un livre en hébreu ; j'en ai toujours un avec moi pour faire face à ce genre de situation ; je me mets à lire. Aujourd'hui, *Le Neveu de Wittgenstein*, de Thomas Bernhard. Pas n'importe quoi ! Si un médecin passe dans le couloir, il ne pourra qu'être épaté. Je ne l'ouvre pas au début, plutôt vers la fin,

225

pour ne pas donner l'impression de l'avoir à peine commencé. J'ai les yeux rivés sur mon livre ; pas seulement pour cacher mon identité, surtout pour éviter le regard des autres. Ce serait le bouquet qu'arrive un type en chemise et en blouson avec qui j'ai étudié autrefois, portant un lourd trousseau de clefs, un portable et des cigarettes. Pourvu qu'il n'en arrive pas, ne m'embrasse pas ! Je reste tête baissée ; je tourne de temps en temps une page en croisant les jambes. « Excusez-moi », me dit quelqu'un. Une jeune femme brune et grosse, flanquée de deux acolytes. Sûrement des religieuses, avec leur long vêtement qui dissimule un tant soit peu leur laideur. La femme martèle ses paroles : « Elle est enceinte ? »... Je ne sais plus où me mettre. Que puis-je leur dire ? Peut-être vais-je leur répondre en hébreu. Parfois c'est ce que je fais. Des Arabes s'adressent à moi en hébreu et je leur réponds en hébreu ; qui me dit qu'ils sont arabes ? Ça se voit, c'est vrai, mais comme ils ne me reconnaissent pas, je peux très bien, pareillement, ne pas les avoir reconnus. Avec ces trois femmes, aucune confusion possible ! Elles sont arabes des pieds à la tête. Je pourrais hausser les épaules, l'air de dire : « Je ne sais pas. » Il est vrai que je n'ai pas la moindre idée de ce qu'elles me veulent. Pourquoi, d'ailleurs, se sont-elles adressées à moi ? Et pourquoi pas à quelqu'un en blouse blanche ? À cause du livre peut-être ? Elles sont dû penser que j'étais un médecin en train de faire une pause.

226

Je leur chuchote en arabe qu'elle ferait mieux de s'adresser à une infirmière et leur désigne du doigt le bureau à l'accueil.

« Ah ! C'est ça ! Elle est donc enceinte », me coupe alors, en hébreu, ma jeune interlocutrice en haussant le ton.

Je sens mon visage rougir ; je tente de le cacher avec mon livre. Lorsque ma femme sortira, je la tuerai. Elle me met toujours dans des situations impossibles. Comme si, en ce moment, j'avais la force d'affronter cela. Avec la gueule que je lui ferai quand elle sortira, plus jamais elle n'osera me traîner dans les hôpitaux.

5. La route de Tira

La route de Tira défile entre deux rangées de cyprès. Des arbres collés les uns aux autres, serrés. Soudain, ils disparaissent ; les champs, interrompus comme par un couperet, laissent place à des rangées désordonnées de maisons piteuses et branlantes. Boulangeries, cafés, échoppes de fruits et légumes, garages, magasins de pièces détachées ou d'horlogerie. Une profusion de marchandises hétéroclites et bon marché.

Les Juifs traversent le village pour se rendre à Zur Yigal et Kohav Yaïr ; ils ne s'arrêtent plus pour s'approvisionner. C'est la guerre. Certains ont peur ; d'autres boycottent. À Tira, tout a été fait pour eux ; ils ne viennent plus. Pas même le samedi. On ne voit plus leurs femmes en short ; ni les filles en T-shirt et le nombril à l'air. Pendant des années ils ont investi le village, chaque samedi. Circuler était impossible. Seuls les commerçants sortaient le week-end ; les autres restaient chez eux. Les adolescents accouraient au marché pour voir les Juives. Moi aussi, j'y allais parfois faire un tour. Aujourd'hui les Juifs ont disparu ; leurs cris, leurs sacs, leurs ventres proéminents, leurs voitures, leurs clefs, leurs chapeaux et leurs sandales avec. Plus d'embouteillages !

De toute façon on n'a plus besoin d'eux. Les gens du village se sont suffisamment enrichis. Ils pourront surmonter cette guerre sans mourir de faim. Ils construisent étage sur étage, achètent des voitures chères, des jeeps, des camions, des ordinateurs à leurs enfants ; ils les inscrivent à des cours de formation. Ils les envoient souvent chez les Juifs. Je connais même quelqu'un qui s'est fait construire une piscine et qui a offert une Ferrari décapotable à son fils. Tout ça grâce aux bénéfices du samedi. Certains ne travaillaient qu'un seul jour dans la semaine, le samedi ; ça ne les empêchait pas de vivre comme des rois. Maintenant, seuls les toxicomanes et les dealers juifs osent venir.

Dans les manuels d'apprentissage de l'hébreu, on parle encore de l'ancien petit village. À la question : « De quoi vivent les gens de ton village ? » il convient de répondre : « De l'agriculture. »

Les gens continuent de se marier, de faire des enfants. La femme de mon grand frère Sam – comme les missiles russes – en attend un. Mon petit frère, celui qui a deux ans de moins que moi, vient d'acheter des carreaux en céramique pour sa salle de bains. Si tout va bien, il pourra terminer sa maison et se marier l'an prochain.

Il reste encore une maison.

Bien que nous soyons quatre enfants, mes parents n'en ont construit que trois ; le dernier est censé hériter de la leur. Ils savent qu'au moins un d'entre nous ne reviendra pas. Ils redoutent que le plus jeune, celui qui a six ans de moins que moi, reste à Tel-Aviv. Il y fait ses études, tout en travaillant pendant la semaine à l'hôpital. Il s'occupe des malades en phase terminale. Il a pris ses distances, a laissé pousser ses cheveux, porte des boucles d'oreilles, s'habille comme un marginal et écoute une autre musique. Il arrive que nous nous téléphonions. La dernière fois, nous avions décidé de nous retrouver à Tira. Il avait dit qu'il allait enfin voir la petite mais il n'est pas venu ; il a appelé en demandant qu'on lui fasse un gros baiser en son nom ; il a voulu qu'on lui place le combiné à l'oreille pour qu'elle apprenne à reconnaître sa voix.

Je m'entends très bien avec lui. Parfois, j'ai le sentiment qu'il me déteste à cause de ce que je lui ai fait subir quand j'étais petit. Je devais être vraiment très jeune ; du moins je l'espère ! Quand ces souvenirs me hantent, je lui téléphone pour lui demander pardon.

Quand je le questionne pour savoir s'il me hait, il me répond invariablement qu'il m'aime plus que personne au monde.

J'ai six ans de plus que lui ; s'il revient au village avant moi, il recevra ma maison ; à moi reviendra celle de mes parents. Comme elle est vieille, pour se monter plus équitables, ils ont prévu d'y ajouter une parcelle de terre ; pour éviter les discussions. Papa dit toujours : « Malheur à vous si vous vous disputez ! Ce serait la pire des choses. » Cela fait déjà cinquante ans qu'on se bat ici pour de la terre. Entre frères, entre cousins. On s'est même entretués ; ceux qui restent cherchent encore à se venger. Les plus riches sont ceux qui ont réussi à obtenir deux mètres au marché du shabbat.

Aujourd'hui, presque tout le monde est armé. En allant faire réparer son pot d'échappement, Papa s'est vu proposer un fusil de chasse pour mille shekels[1]. Il a failli l'acheter ; pour se défendre.

Maman vient de m'apprendre que le petit Ayoub a été arrêté. Le fils des voisins. Je me souviens de lui comme d'un enfant de sept ans timide. Elle m'a dit qu'il vendait des armes ; l'armée avait déboulé chez eux la semaine dernière. Après avoir barré les routes, les soldats avaient fait irruption dans leur maison et arraché toutes les dalles une à une. Mes parents ont toujours su qu'Ayoub faisait du trafic. Au début, ils pensaient qu'il

---

1. Unité monétaire israélienne (1 shekel ≃ 1,25 euro).

ne se ferait pas prendre parce qu'il travaillait pour l'État. Il avait un Uzi et tirait des rafales, presque chaque nuit. « Un Uzi automatique », précise Maman. Elle ne pensait pas qu'il était bête au point de cacher ses armes chez lui ; c'est pourtant ce qu'il avait fait. Ils en ont trouvé beaucoup. De la cour, elle avait assisté à la perquisition. Peut-être cinquante pistolets. Les policiers et les soldats avaient fouillé partout ; toute la journée. Ils étaient venus chez nous, avec des chiens et des détecteurs de métaux ; ils n'avaient rien trouvé. Les chiens avaient reniflé chaque fleur à la recherche de drogue. Maman a dit que les policiers étaient montés dans les maisons de mes frères et même dans la mienne. Elle a demandé : « Mais quand donc la finiras-tu ? Quand te décideras-tu enfin à rentrer ? »

6. Nelson Mandela

Mes parents ont de grands canapés roses dans leur salon. Je m'affale dans l'un d'eux ; j'allume une cigarette du paquet que Papa a laissé sur la table. Je m'amuse à faire des ronds de fumée. Notre maison est laide, parcourue de fils électriques dénudés. Près de la sonnette, qui n'a jamais fonctionné, est suspendue une horloge en plastique doré semblable à une crinière de lion. À côté trône une tête de gazelle, elle aussi en plastique. Autrefois, il y avait également deux petites épées, cassées depuis longtemps. Sur le mur, face à moi, trois panneaux de bois foncé sont accrochés sans goût ; sur chacun est écrit ALLAH en lettres noires. Le mur de gauche est décoré d'une photo d'Ismaïl Shamout avec pour légende : *Vieillesse*. À côté se trouve celle d'une mère et son bébé ; au-dessus d'eux plane une nuée de corbeaux noirs. Maman a tissé l'horrible tapisserie du salon : deux Japonaises en kimono assises au bord d'un lac bleu où flottent des cygnes blancs. Elle l'a réalisée pendant sa formation d'institutrice à Haïfa. Elle se targue toujours d'avoir été la première femme de son village à faire des études ; elle est en effet la doyenne des institutrices de Tira.

Quand j'étais à l'université, j'avais invité Yossi à déjeuner chez mes parents. Mon premier ami juif après l'internat. Il représentait une nouvelle étape dans ma vie, la preuve que je n'étais pas condamné à ne fréquenter que des Arabes pendant toute mon existence. Après le repas, il s'était étonné de la présence du lavabo dans le salon, même si la possibilité de regarder un match de football en se rasant l'avait plutôt séduit. Lors de notre rencontre, Yossi m'avait avoué qu'il avait du mal à prononcer le mot « arabe » ; le terme sonnait pour lui comme une insulte. Cela ne nous avait pas empêchés de devenir amis par la suite.

Papa vient de s'asseoir sur le grand canapé ; il se cale le dos entre deux coussins. D'une main il se gratte, ou se cure le nez ; de l'autre il tient une cigarette. Maman fait la vaisselle dans la cuisine. Mon frère aîné et sa femme entrent et nous rejoignent. Elle est enceinte de cinq mois mais ils ne savent pas encore si c'est un garçon ou une fille. Mon autre frère, celui qui a deux ans de moins que moi, parle avec sa fiancée de son téléphone portable. Il bénéficie d'une promotion commerciale ; en cas d'achat de deux appareils, il a des communications gratuites vers un numéro de son choix.

Les informations commencent. Papa augmente le son, retire les doigts de son nez ; il éteint sa cigarette et s'en rallume une autre aussitôt. Maman pose un plat de fraises sur la table ; elle vient s'asseoir sur un tapis aux pieds de Papa. Il n'y a plus de place sur les canapés. Mon père en occupe trois à lui tout seul.

Papa dit : « Ce ne sont pas des hommes, à Hébron. » Il faut toujours qu'il commente à voix haute ce qu'il voit à la télévision ; au cas où nous n'aurions pas compris. Maman laisse échapper des : « Oh là là ! Quel malheur ! Gaza... Gaza ! » ou : « Ce sont des criminels. » Papa dit : « Si c'étaient des hommes, ils sortiraient tous de chez eux et vireraient les colons. Combien peuvent-ils en tuer ? Qu'ils en tuent cent mille. À la fin ils finiront bien par les chasser. Ce n'est quand même pas cinq malades qui vont terroriser une ville entière. Ils sont nuls, nuls... »

Aujourd'hui, c'est la journée de la Terre. Ma femme et ses parents sont partis ce matin pour leur village, Misqé, à côté de Sdé War-burg. Un car a été réservé pour l'occasion ; ils sont tous partis ensemble. À chaque journée de la Terre et à chaque fête de l'Indé-pendance, c'est l'excursion. Hommes, femmes et enfants s'habillent, emportent nourriture et matériel de barbecue, viande et alcool, puis ils se mettent en route pour le village. Il reste encore des vestiges de l'école et de la mosquée. Les femmes récoltent des feuilles de vigne et vont chercher du thym dans les champs ; les plus âgés jouent au backgammon dans les ruines de la mosquée ; les jeunes boivent de la bière et partent fumer des joints dans l'école délabrée.

Papa n'arrive pas à comprendre ce qui les pousse à retourner là-bas. Il dit : « Si vrai-ment ils aiment autant leur village, pourquoi l'ont-ils abandonné ? C'est à cause de tous ces froussards qu'on en est là. Que peut-on sou-haiter de mieux que mourir sur sa terre ? Pourquoi ont-ils accepté de la vendre ? » Il dit que la vente des terres confisquées aux Juifs n'est qu'une « liquidation ». Celui qui vend baisse les bras. « Et ça se dit des hommes ! »

Le soir venu, je rejoins ma femme et la petite chez ses parents. Ils sont rentrés de leur pique-nique à Misqé. Mon frère aîné, qui bloque ma voiture avec la sienne, me tend les clefs. J'adore la conduire ; la radio fonc-tionne. Le chemin est court mais il offre une des rares occasions d'écouter de la musique à

Tira. J'espère qu'elle est sur Galgalats ; je ne sais pas la régler. À peine si je peux l'allumer ! Mon frère ne prend pas soin de sa voiture. D'ailleurs il ne sait pas conduire. Chaque fois que je monte avec lui, ça se termine toujours en pugilat. Nous n'avons pas des relations très faciles.

La radio diffuse *Abou Al Khalil*. Je n'en crois pas mes oreilles. Comment un disque peut-il rencontrer tant de succès depuis si longtemps ? On l'écoutait déjà en voiture quand on partait avec Papa cueillir du thym dans la montagne. Je connaissais les paroles par cœur ; je m'aperçois que je n'ai pas tout oublié. Je chante par-dessus la radio comme si jamais je n'avais cessé d'entendre cette chanson. « *Ya Amina, Ya Abou Al Khalil...* Ouvre grande la porte de Jaffa pour que tous les nôtres entrent. » Suit une autre que j'aimais tout autant, sur la honte bue et l'honneur retrouvé par la pierre et le sang. Une histoire d'enfants héroïques. Je souris de la piètre qualité de l'enregistrement et de la musique.

Je baisse la radio et je circule dans les rues de Tira. Il est déjà tard, ce vendredi, mais les gens sont encore dans les rues. Beaucoup de jeunes circulent, en voiture, à pied ; je me demande bien où ils peuvent aller, surtout en cette soirée de la journée de la Terre. Une grève générale était prévue mais les commerçants ont ouvert jusqu'à midi. Les gens ne peuvent se permettre de perdre de l'argent. Ces grèves effraient les Juifs qui passent par le village en rentrant à Zur Nathan et à Kohav Yaïr. Ce sont de bons clients.

Sur le mur de la modeste chambre de ma femme est accrochée une vieille photo de Nelson Mandela derrière ses barreaux. Le Mandela jeune et fort, portant une barbe noire et drue. À côté de lui une faucille et un marteau avec le drapeau rouge de l'URSS. Ils voisinent avec des photos de mannequins, de reines de beauté et de chanteurs égyptiens comme Ihab Taoufik et Amr Diab. Des femmes en maillot de bain ou en robe des années quatre-vingt. Dans la chambre que ma femme partageait avec ses cinq sœurs, la photo la plus récente est celle de Brandon dans *Beverly Hills*. Elle l'avait accrochée quand elle était au lycée. Toutes ses sœurs sont maintenant mariées et cette pièce aux murs écaillés devient la nôtre les rares week-ends où nous venons à Tira.

Ma belle-mère a rapproché deux lits dans un angle sous les photos d'Ofra Haza[1] et Tami Ben Ami[2]. Depuis notre mariage, il y a deux ans, nous y dormons toujours avec les mêmes gros oreillers, durs comme de la pierre, la même couverture de laine, tellement rugueuse que nous devons garder nos vêtements en toute saison. Il fait très chaud à Tira. Autrefois, les gens dormaient sur les toits en été, mais aujourd'hui ils ont peur.

1. Chanteuse israélienne.
2. Actrice et mannequin israélienne.

L'insécurité règne. Pas question de sortir de chez soi sans fermer à clef. Le village regorge de voleurs, de criminels et de violeurs. Surtout depuis qu'on a fait venir tous ces collaborateurs en armes.

La vétusté de la chambre de ma femme réveille immanquablement mon désir. Je me sens soudain puissamment attiré par elle, comme si nous venions à peine de nous rencontrer. Elle met toujours le peignoir délavé de sa mère ; je ne peux résister. Nous restons toute la nuit enlacés à faire l'amour. Dans cette chambre, mon cœur déborde de passion. Je trouve ma femme aussi belle qu'autrefois, lorsque nous venions tout juste de nous connaître. J'ai l'impression d'être devant une autre femme. Elle est heureuse de mon désir ; elle dit que ce sont nos meilleurs moments.

Bientôt ses parents restaureront la maison et ils referont la chambre. La bâtisse a toujours été un peu délabrée. La première fois que nous y sommes allés, pour que je demande sa main à ses parents, ma femme avait pleuré ; elle avait honte de me montrer le lieu où elle vivait. Elle priait pour que je ne demande pas à aller aux toilettes : l'endroit le plus choquant. Le lavabo était surmonté de dix gros clous d'acier que son père avait plantés pour y suspendre des éponges ; au-dessus de chacun était inscrit le nom de chaque membre de la famille. Pas des éponges ordinaires, non, des luffas – des éponges végétales. À présent, sept clous n'ont plus leur éponge. Il ne reste que celles des parents et du petit frère. Il a deux ans de moins que nous. Il étudie l'économie à l'université depuis déjà quelques années, il finira probablement sa licence l'année prochaine. Autrefois sa chambre, au sous-sol, servait de cave où l'on entreposait l'huile, les olives et où se trouvait également un four à pain. Quand l'enfant avait grandi, un lit y avait été installé pour lui. Lui aussi avait ses murs couverts de photos. Les Chicago Bulls, l'équipe à maillots rouges du club de Tel-Aviv, Michael Jackson, Fairuz, Lénine, et des posters de la journée de la Terre – un vieillard assis sous un olivier portant sur ses genoux son petit-fils blond protégé par un keffieh avec pour légende : *Nous restons ici.* Comme on lui aménage le dernier étage, les parents vont récupérer la cave. Ma belle-mère dit qu'ils n'en demandent pas plus et que le temps est venu que leur fils unique ait sa propre maison. Qu'il puisse se fiancer, se marier et avoir des enfants.

7. Mon petit frère

Mon petit frère appartient à un autre univers. Comme moi il a quitté le village ; lui n'a pas voulu s'assimiler aux Juifs. Il n'a aucun ami, pas davantage à Tira qu'à Tel-Aviv. Mon petit frère ne parle pas ; il a toujours été comme ça. Il peut passer des journées entières sans prononcer un mot. Ses instituteurs pensaient qu'il avait du mal à comprendre ; il ne parti-cipait pas ; jamais il ne levait le doigt pour répondre à une question. Après avoir ren-contré ses professeurs, il arrivait que Papa s'emporte contre lui : « Mais qu'est-ce que tu es ? Une femmelette ? Tu as honte ? » Mon frère ne réagissait pas. Comme il avait de bonnes notes, on le laissait tranquille.

Mon petit frère n'aime pas les gens, surtout les étrangers. Dès qu'on frappe à la porte, il se sauve dans sa chambre, même s'il est seul. Au retour de l'école, s'il entendait des voix étrangères dans la maison, il restait à attendre sous un arbre que les invités soient partis. Plutôt que d'être confronté à des gens, il aurait subi la chaleur et la pluie des heures durant.

Mon petit frère ne répond jamais au télé-phone. C'est comme ça. Mes parents se sont lassés et ont cessé de lui en faire la remarque. Quand le téléphone sonne, il part s'enfermer dans sa chambre ; il écoute de la musique, ni juive ni arabe.

J'ignore pourquoi mes parents pensent que mon petit frère m'aime. Ils nous trouvent tous les deux bizarres, différents ; quand je rentre à la maison, ils me demandent de lui parler, de m'assurer qu'il se porte bien. Maman me dit : « Essaie de savoir comment se passent ses études. Demande-lui comment ça va à l'université, s'il a des amis, besoin d'argent, si la nourriture lui convient et s'il s'entend bien avec ses camarades de chambre. » Quand on lui pose une question, le plus souvent, il est difficile de savoir ce qu'il a dans la tête. Il n'oublie jamais de poster ses relevés de notes à nos parents pour les tranquilliser, pour qu'ils sachent qu'il se débrouille.

Mon petit frère aime dessiner. Des portraits et des natures mortes. Il ne montre ses dessins à personne. Des fois, quand je rentre à la maison, je fouille dans ses tiroirs, dans ses cahiers et je regarde ses croquis. Il voulait faire les Beaux-Arts mais nos parents trouvaient que ce n'était pas sérieux, qu'un homme se devait d'avoir un travail, un métier ; l'art n'était qu'un passe-temps qui ne menait nulle part dans la vie. Il n'avait pas insisté. Au vu de ses notes, mes parents avaient décidé pour lui : le métier d'infirmier lui conviendrait et ils l'avaient envoyé faire des études.

Depuis il revient rarement au village. Il étudie le jour, la nuit il travaille. Lors de la dernière *Id Al Fitr*, il a pris un jour de congé pour venir voir ma fille. Neuf mois avaient passé depuis sa naissance ; il ne la connaissait pas. Il lui avait souri, avait voulu la prendre dans ses bras pour jouer avec elle ; mais il ne savait comment faire. Il n'en avait pas été étonné. Il préférait être seul avec elle. Il l'avait regardée bêtement, puis il l'avait emmenée dans sa chambre. Je ne sais pas ce qu'il lui avait fait – peut-être lui avait-il mis son casque de walkman sur les oreilles –, en tout cas, elle était ressortie un sourire radieux aux lèvres.

Mon petit frère et moi étions les seuls à la maison à aimer jouer au football. Un jour, je l'avais fait tomber ; une incisive s'était cassée. Depuis il ne voulait plus sortir de chez nous, de peur que quelqu'un ne voie sa dent ébréchée. Il ne voulait même pas aller chez le dentiste. Il était resté cloîtré à la maison sans plus croiser personne, presque une année. Il avait cessé de parler. Il refusait d'ouvrir la bouche, n'allait plus à l'école ; il avait annoncé à nos parents sa décision de ne pas poursuivre ses études.

S'éloignant des gens, il s'éloigna aussi des coiffeurs. Dix ans ont passé ; ses cheveux noirs et bouclés lui descendent presque jusqu'aux fesses. Il les soigne, les noue avec un élastique. Mes parents désespérés ne tentent même plus de le convaincre de les faire couper. Je suis le seul à le trouver beau. Ses cheveux le sont vraiment. Il aime les contempler devant son miroir, s'amuse à en cacher son torse nu, maigre et musclé. Sa dent demeure cassée. Pour cette raison aussi, il a cessé de rire ; mais il peut sourire, bouche fermée. Parfois, je lui achète de nouveaux disques. Je lui ai offert un walkman avant qu'il ne parte faire ses études ; je savais qu'il ne pouvait survivre sans musique. La mine ravie, il m'avait souri, sans desserrer les lèvres.

Pour la fête, avant l'arrivée des invités, mon petit frère avait décidé de rentrer travailler. Il avait fait son sac dans sa chambre, et je l'avais suivi avec la petite. Il m'avait dit : « Elle est mignonne », laissant voir sa dent maintenant jaunie. Je ne l'avais pas vue depuis long-temps ; je ne sais pourquoi, j'avais oublié qu'elle était cassée. Je pensais qu'avec l'âge il l'aurait fait arranger ; jamais il n'était allé chez un dentiste. Il avait essayé de la cacher avec la main, feignant de jouer avec ses cheveux, de se gratter le bout du nez. Il parlait dans son poing fermé, ce qui créait une espèce d'écho. Je m'étais inquiété : « Comment ça va ?

— Bien.

— Et les études ?

— Ça va.

— Et ton travail ?

— Ça va.

— Tu dessines toujours ? »

Il avait acquiescé de la tête et m'avait répondu : « Je dessine à mon travail. »

Mon frère est employé dans un hôpital de Petah Tikvah. Il dit qu'il aime beaucoup ce qu'il fait. Que ça l'aide dans sa vie et dans ses études. Aujourd'hui, il n'a plus honte de sa dent. Il voit bien que je ne le juge pas ; je suis vraiment à son écoute.

Il a un bon job. Il reste assis toute la nuit, sur un vaste et confortable canapé de grand standing, dans la chambre la plus reculée du service ; il écoute de la musique et dessine, face à trois lits. Sa tâche consiste à attendre que les occupants de ces lits meurent. Ses malades ne parlent ni ne bougent ; ils sont reliés à des appareils respiratoires. Leur poitrine se soulève de temps en temps ; le seul mouvement qu'on puisse percevoir dans la chambre. En général, un jour ou deux après leur arrivée ils s'éteignent ; l'un d'eux est quand même resté deux mois dans son lit avant d'expirer.

Mon frère dit qu'on voit très bien l'instant où ils meurent. Ils tressaillent. Il fait trembler son corps pour me montrer. Quand le moment arrive, il appelle pour signer le certificat de décès un médecin qui débranche les appareils et colle une étiquette portant le nom du mort sur la poitrine et sur la tête. Mon frère n'a rien d'autre à faire. Parfois les infirmières, allant se reposer, lui demandent de ne pas les réveiller en cas de décès ; alors il reste seul avec le mort jusqu'au matin. Un décès presque à chaque garde. Une nuit, les trois malades de la chambre moururent ; il eut le cafard car sa garde s'était terminée plus tôt que d'habitude ; il ne savait pas quoi faire.

Mon frère ne dessine les patients que morts. Il éteint les appareils qui sifflent, fait les croquis des cadavres, avertit le médecin et les infirmières. Les vieillards présentent de profondes escarres. Il a dit que la chambre pue, mais qu'il s'y est habitué. Les infirmières et infirmiers sont censés les laver chaque jour ; mon petit frère dit qu'il vaudrait mieux qu'ils s'abstiennent. Qu'ils leur manquent de respect. Pendant la toilette, ils n'hésitent pas à se servir de leurs pieds pour les retourner d'un côté puis de l'autre. Quelquefois il dessine les infirmiers. Il dit qu'ils sont dégoûtants. Surtout les Arabes. Mon frère ne leur parle pas, il ne leur dit même pas bonjour. Il n'est responsable que des patients. Avant de partir, mon frère avait emporté dans son sac le croquis d'une femme morte la veille ; il ne me le laissa pas voir. Il m'avait dit que c'était un beau dessin ; comme il les aime. Toutes ses dents étaient des implants ; il l'avait nommée « la femme riche ».

8. Égypte

La guerre est devenue une routine ; pour m'endormir, je pense à des combats. Je m'imagine commandant toute une unité, organisant des embuscades, ordonnant à mes hommes de ne pas quitter leurs positions. Quand je me réveille, au matin, force m'est de constater qu'une fois encore j'ai perdu la guerre ; nous avons été mitraillés, l'unité a été décimée. La guerre m'accompagne partout ; même pendant mon sommeil. Il m'arrive, en pleine nuit, de me réveiller affolé, cherchant à voir qui tire sur la chambre à coucher et sur la petite. Souvent ce n'est que la sonnerie du téléphone ; il me faut quelques minutes pour comprendre qu'il ne s'agissait pas d'un bombardement.
Que dois-je faire : me convertir ? Me faire sauter ? Foncer sur des soldats au carrefour de Ra'ananah ? Je reviens de plus en plus souvent à Tira en quête d'une réponse, pour voir ce que d'autres, possesseurs comme moi d'une carte d'identité bleue, ont décidé. En attente d'une lueur d'espoir. Je commence à répondre aux invitations aux mariages des

membres de la famille ; je me rends au chevet de jeunes accouchées et présente mes condoléances dans les foyers endeuillés.

Je dois revenir. Maman dit qu'ils embarqueront les gens de chaque village les uns après les autres dans des camions, qu'on viendra nous prendre à Beit Safafa pour nous conduire en Jordanie, que les habitants de Tira seront emmenés au Liban. Que toute la famille doit monter dans le même camion.

Elle dit que la pire des choses serait que nous soyons expulsés en Égypte. Papa et elle y sont allés il y a moins d'une semaine. Leur voyage les a effondrés. Papa surtout ; il a perdu toute foi dans le monde arabe. En Égypte, les gens ne se préoccupent que de la nourriture et n'ont pas le temps de penser au sionisme, au panarabisme, à la guerre. Papa vient seulement de comprendre que Nasser était mort ; il n'y aura pas de nouveau Nasser.

Au retour, Papa a été retenu pendant deux heures à la frontière de Tabba. Maman me raconte cela à voix basse ; mon père ne s'en vante pas ; elle ne veut pas qu'il l'entende de la chambre. Elle dit que les soldats ont rentré son nom sur ordinateur, qu'ils l'ont insulté de manière écœurante. Elle en tremble encore, retient ses larmes. Grossièretés à l'appui, ils lui ont ordonné de s'asseoir dans un coin. Des gamins hurlaient « Ta gueule ! » pendant qu'ils l'emmenaient dans une autre pièce. Sans témoins, il s'en serait moqué. Tous ces gens étaient incapables de comprendre qu'il vaut mille fois mieux qu'eux. Papa est l'homme le plus intelligent, le meilleur du monde. Depuis ce voyage en Égypte, mon père n'a plus envie de se battre. Il suit les informations internationales, mais il a cessé de trouver des solutions et des réponses à tout, de donner son interprétation des choses. La révolution ne l'intéresse plus, ni l'égalité, pas plus que la terre ou un État libre. Papa s'est résigné. Il dit qu'eux aussi, les Palestiniens, doivent se soumettre, que s'il était leader palestinien il ordonnerait de détruire la mosquée al-Aqsa. D'abord dynamiter al-Aqsa, ensuite évacuer tout souvenir de l'islam et de la culture arabe avec des buldozers. Papa dit que ce serait la vengeance palestinienne du silence arabe et islamique face à la souffrance. Si les Saoudiens et les Iraniens, les Syriens et les Égyptiens et vingt-deux nations arabes – comme disent les sionistes – veulent la mosquée al-Aqsa et Al-Quds[1], qu'ils viennent les défendre. Papa dit qu'il en a assez ; il n'en peut plus. Tout le monde n'a qu'à se soumettre comme nous, les Arabes israéliens. Papa dit que le mieux serait que nos cousins de Tulkarem, de Ramallah, de Naplouse et de Bakat Al Hatab obtiennent eux aussi une carte d'identité bleue. Qu'ils deviennent des citoyens de septième catégorie de l'État juif. Préférable à une citoyenneté de première catégorie d'un État arabe. Aujourd'hui, Papa hait les Arabes. Il dit : « Mieux vaut être les

---

1. « La sainte » en arabe. Nom donné à Jérusalem par les Arabes.

esclaves de son ennemi que du leader de votre peuple. »

Nadia (à cause de Nadia Comaneci), la femme de mon frère Sam (à cause des missiles égyptiens pendant la guerre du Kippour), vient de donner naissance à son premier garçon. Papa refuse qu'on lui donne son prénom. Il dit que cela lui porterait malheur ; d'ailleurs, l'enfant ne lui ressemble pas. Mon grand frère cherche un nom symbolique. Nadia et Sam ont pensé à Bissan ; aujourd'hui Beit Shean. Ils ont pensé à Izzedine, comme Izzedine Al Qasem, à Che Guevara, à Nelson Mandela, à Castro, Nasser, Sabra. À Watan (patrie) ; Papa avait envisagé de me prénommer ainsi. Puis à Ard (terre), et à Iar (mai) ; mon frère Sam est né un premier mai. Ce jour-là, Maman avait reçu un cadeau de la maternité de Kfar Saba. Finalement ils ont opté pour le prénom proposé par mon petit frère Mahmoud : Dany. Mahmoud dit que ce prénom lui facilitera la vie. À Tira, on se moquera peut-être de lui à l'école mais à l'université, au travail, dans le bus, ou simplement à Tel-Aviv, il est préférable de s'appeler Dany.

Ma femme, la petite et moi dormons sur des matelas dans la chambre de Grand-mère depuis que les parents de ma femme ont commencé à rénover leur maison pour le mariage de leur fils. Elle entend et voit de moins en moins bien et continue de se lever chaque matin à l'aube et de prier assise. J'ouvre toujours les yeux en même temps qu'elle. Ma femme et la petite dorment. Je vois Grand-mère se traîner jusqu'aux toilettes et à la douche. Je l'entends vomir. Je me lève prestement ; m'approche d'elle. Elle est assise par terre, la tête penchée au-dessus des toilettes. Elle vomit sur ses vêtements.

« Grand-mère, qu'est-ce que tu as ?

— Retourne te coucher mon chéri. C'est comme ça tous les jours. »

Je la serre dans mes bras, l'embrasse sur son front et essaie de retenir mes larmes. Elle cache ses yeux dans son foulard blanc. Elle ne pleure pas à cause de la mort ; elle est fatiguée et ne supporte plus d'être une charge pour Papa et Maman. Elle dit qu'elle pleure seulement parce qu'elle espérait pouvoir être enterrée sur sa terre.

« Tu te souviens où est cachée la clé de l'armoire ? »

Dans les bras l'un de l'autre, tous les deux, nous pleurons.

Glossaire

Abou Jihad : surnom d'Abou Al Wazir, numéro 2 du Fatah, assassiné à Tunis en 1988.

Afikoman : morceau de *matsah* consommé rituellement au dessert en commémoration de l'agneau pascal.

Al Fakahani : surnom de Yasser Abed Rabbo, activiste du Fatah.

Basboussa : gâteau de semoule aux amandes.

Darwich, Mahmoud : célèbre poète palestinien (1942). Il a quitté Israël en 1970 pour Le Caire puis Beyrouth ; réside à Paris.

Debka : danse orientale traditionnelle.

Falafel : boulettes de pois chiches enrobées dans du pain.

Fatah : mouvement de libération de la Palestine, créé en 1958.

Gandhi : surnom de Rehavam Zéévi, qui fut à la tête du parti d'extrême droite Moledet.

Ministre du Tourisme du gouvernement Sharon en 2001, il a été assassiné par des terroristes palestiniens la même année.

Ha'aretz : grand quotidien israélien libéral.

Hadj : grand pèlerinage à La Mecque.

Haggadah : texte lu lors du *seder*.

Houmous : purée de pois chiches.

Id Al Adha : « fête du sacrifice » ou « Grande Fête » célébrée à la fin du mois du pèlerinage à La Mecque.

Id Al Fitr : « petite fête ». Elle marque la fin du ramadan.

Indépendance (fête de l') : fête célébrant le jour de l'Indépendance d'Israël, le 14 mai 1948.

Jabotinsky, Vladimir (1880-1940) : leader sioniste, membre actif de la Hagana à Jérusalem, il est arrêté par les Britanniques en 1920 ; il sera libéré mais ne pourra revenir en Palestine. Fondateur du mouvement révisioniste sioniste et du Bétar. Il est mort à New York.

Jibril, Ahmed : fondateur en 1968 d'un groupe qui rejoignit le FPLP (Front populaire de libération de la Palestine) avant de s'en séparer en 1970 pour former le FPLP – Commandement général, pro-syrien et spécialiste des opérations de piraterie aérienne internationale.

Kaaba : édifice sacré se trouvant au centre de la mosquée sacrée de La Mecque ; repère pour la prière, la Pierre noire y est scellée à l'angle oriental.

Kahanah, Rabbi Meir : fondateur en 1971 du parti d'extrême droite Kach qui milite pour l'annexion des territoires occupés et l'expulsion des Arabes de ces derniers et d'Israël. Déclaré inéligible en 1988, il est assassiné en 1990 à New York par un Égyptien.

Karameh (bataille de) : village niché au cœur de la vallée du Jourdain dont le nom signifie « dignité » en arabe. L'affrontement a eu lieu le 21 mars 1968 entre les fedayin du Fatah et les autorités israéliennes.

Kenafe : gâteau de semoule.

Krembo : meringues enrobées de chocolat.

Maklouba : ragoût de viande aux légumes et au riz.

Meir, Golda (1898-1978) : femme politique israélienne ; chef du gouvernement de 1969 à 1974.

Meloukhia : soupe d'herbes vertes.

Naqba (jour de la) : la « catastrophe ». Les Arabes appellent de ce nom la création de l'État d'Israël.

Oud : luth à manche court ayant de quatre à six cordes.

Oulpan : établissement d'apprentissage intensif de l'hébreu pour étrangers.

Pasoulia : haricots blancs.

Pourim : « fête des Sorts », un mois avant la Pâque, au cours de laquelle les enfants se déguisent.

Qanoun : cithare en forme de trapèze comportant soixante-douze cordes.

Rosh ha-Shana : nouvel an juif.

Schnitzel : escalope viennoise.

Seder : repas de Pâque *(Pessah)*.

Sénia : grand plat de forme ovale.

Shoah (jour de la) : journée du souvenir de la Shoah (« catastrophe » en hébreu) – le 29 avril.

Souvenir (jour du) : le 6 mai, la veille de la fête de l'Indépendance.

Tehena : purée de sésame.

Terre (journée de la) : journée commémorative en mémoire de six manifestants palestiniens tués par la police israélienne le 30 mars 1976 lors d'une campagne de protestation contre la réquisition de plusieurs centaines d'hectares de terres au profit d'exploitations juives.

Tsahal : nom de l'armée israélienne.

Repères chronologiques

1947 : résolution de l'ONU sur le partage de
la Palestine en deux États, l'un juif, l'autre
arabe. Décision non reconnue par les pays
arabes.
1948 : proclamation de l'État d'Israël par
David Ben Gourion.
Première guerre israélo-arabe (guerre
d'Indépendance). Victoire d'Israël contre
les armées de la Ligue arabe.
1956 : Guerre contre l'Égypte.
1967 : Guerre des Six-Jours.
1973 : Guerre du Kippour.
1982 : Guerre du Liban.
1987 : Début de la première Intifada.
1991 : Guerre du Golfe.
2000 : Début de la deuxième Intifada.

Collection « Littérature étrangère »

Pour en savoir plus
sur les éditions Belfond
(catalogue complet, auteurs, titres,
extraits de livres),
vous pouvez consulter notre site Internet :

www.belfond.fr

Impression réalisée sur CAMERON par

BUSSIÈRE CAMEDAN IMPRIMERIES

GROUPE CPI

à Saint-Amand-Montrond (Cher)
en avril 2003

Nº d'édition : 3951. – Nº d'impression : 031680/1.
Dépôt légal : avril 2003.

Imprimé en France